魔瞳 I

The Devil's Eye

邦拿 作品

修訂版・序

當初編輯找我出版《魔瞳》時，我十分激動興奮，因為出書一直是我的夢想，但我同時暗中擔憂，畢竟《魔瞳》在網上連載多年，出版實體書若然銷量不佳，可是一個超大打擊，但當日在書展首發，看到前來簽書的眾讀者，頓令我放下心頭大石，而二零一八年出版的《魔瞳》卷一，經歷五個寒暑，終於售罄！

在這段風風雨雨的五年，香港書展雖然亦曾經停辦或延期，但幸好大家支持不減，系列已出版了七卷，在出版第二版卷一的期間，我們亦如火如荼地籌備卷八和卷九。

《魔瞳》在現實中的連載亦已接近尾聲，卷一此時再版，雖沒甚麼特別改動，卻是一個讓我重新審視這故事的機會。

在創作《魔瞳》之初，我已經想了結局，只是當中過程，卻沒想過能發展到這般詳盡，不過角色是有著自己的生命，尤其當我連結那許多上古神話，那豐富的背景更是讓他們互動起來更為有趣，許多時候我也控制不了。

不過，神（或上帝或天上唯一），始終是《魔瞳》的故事終點，我對於祂創世原因的猜想，始終沒有改變。

所以，希望你們能繼續支持《魔瞳》，支持出版社，讓小諾的故事能全部出版成書，然後在最後，以後自己的「眼睛」，見證結局。

邦拿
二零二三年六月

原版・序

開始創作《魔瞳》時，我剛到外國留學。那時落筆，只是單純因為看小說和漫畫多了，外國又沒甚麼娛樂，腦袋有空閒胡思亂想，便將其中想法，寫成文字。本來，《魔瞳》只是想十來章完結的故事，在開始後卻有了自己的生命，慢慢發展成現在的模樣。

一路寫來，就是十三年。

挑選「魔鬼」這題材，是因為我自小到大也在基督教學校裡上學。耳濡目染下，我曾相信過聖經，但人大了便開始產生疑問，漸漸不再相信宗教。及後又看多了各種宗教及神話的資料，發覺不同時期、不同地區的神話故事，竟有某些極度相似的地方，彷彿有好幾件大事件，隱隱將各宗教神話貫穿起來。

就是這種種交錯，令《魔瞳》在我腦中成形。

由學生到出來社會工作，身分轉了幾遍，但這故事仍然按著自身的脈絡，繼續成長（雖然這幾年發育速度慢了一點，哈哈）。

故事裡某些情節，會滲透一些我當時對某些事物或議題的一些想法，此次修訂，重頭細看一遍十多年前寫下的文字，竟有一種穿越時空、與年少的自己對話的感覺。《魔瞳》的結局，我早已構想好，只是欠缺寫出來的閒餘，畢竟人大了，尤其活在香港，光是工作已耗掉一天大部分的精神。

不過，只要有讀者追文，我還是會繼續寫下去。

寫這故事之始，我沒想過出書，只是貼在網上，娛人娛己；後來網路小說開始在香港盛行，許多討論區連載的作品都實體化，那時的我，確實是有過如此奢望。不過，故事畢竟放了在網上多年，雖有讀者追文，卻又談不上大紅大紫，所以一直只是默默寫作，並沒主動叩門。現在，終有機會以實體書和讀者見面，只因遇上了一群賭徒，敢下一注。感激釀字工房和編輯阿民的勇氣，願意將《魔瞳》印刷成書，圓了我一個夢想；亦感謝正在閱讀這段文字的你們，因為你們才是《魔瞳》能繼續呼吸的原因。這次《魔瞳》實體化，會首先推出兩卷，若反應理想，得到大家認同，出版計劃便能繼續。所以，請大家多多支持。

寫了十三年，此刻回想，實是不可思議。沒有讀者們一路上的支持和反應，或許我已早早擱筆。雖然十三載裡，有不少朋友因我寫作速度太緩慢而放棄，但又有許多無知小羔羊誤中地雷而入坑。不過，無論是新舊讀者，大多都對我萬分包容。這是我的幸運，希望你們能一直繼續鞭策我。

現在，願諸位能享受這真中帶假的魔鬼世界。

邦拿

二零一八年六月

第一章 魔鬼之瞳

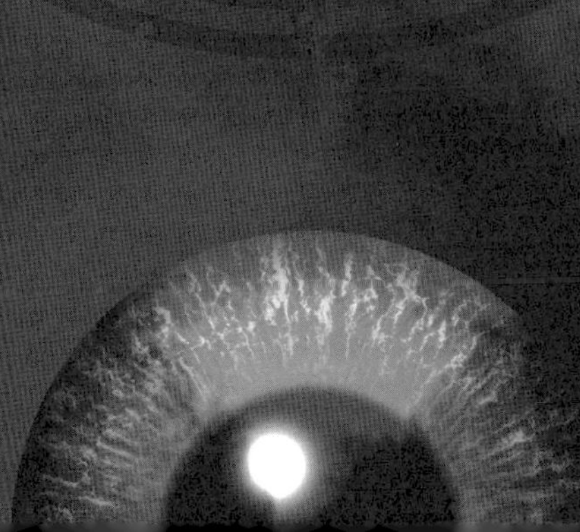

第一章 魔鬼之瞳

午飯鐘聲響起，無聊的課堂又過了半天。

看著同學魚貫離去，我伸了個懶腰，繼續剛才未完的午睡。

無人的課室格外寧靜，只是偶爾傳來一兩蟬聲和喧笑聲。

不消一會，我再次入睡。矇矓間，我又作了那個夢。

夢裡環境，漆黑一片，當中只有一隻巨眼。

一隻瞳孔通紅的巨眼。

父親本來給了我一個名，叫程永諾，意味對我母親永遠的承諾。

可是他在我五歲時拋妻棄兒，跟別的女人私奔，從此沒在再我生命中出現。

母親終日以淚洗臉，然後一年後改嫁。

不知是巧合還是故意，她新丈夫姓畢。

媽媽的改嫁，使剛上小一的我，被迫改名換姓。

畢永諾，彷彿提示著母親，世上不會有永遠的諾言。

不過，一切象徵，對她來說已不再重要，因為在新家成立的半年後。

她被姦殺了。

某晚，母親如常下班回家，經過後巷時卻被一名瘋丐捉住，強行施暴。

母親奮力反抗，可惜力弱不敵，只得被瘋丐抓著她的頭往磚牆撼。

一直撼得她神智不清，瘋丐便施其魔爪。獸性得到滿足後，瘋丐才慢慢離開。

母親一個人倒臥在垃圾與血污中小聲呻吟，想動也動不了。

而這一切，我都看在眼裡。

那時候，我每天晚上都會在窗台，盼望著媽媽回家，因為與新父親總是存在一層隔膜，唯有媽媽在旁，我才感安心。

案發那晚，我如常看著媽媽回來，只是走過那幽黑小巷時，多加了上述那一幕。

雖說少不更事，但強姦毒打在電視劇中不時出現，所以我很快便明白母親的處境。

那時，我想張口叫新爸爸來，但心頭卻有另一股慾望把我控制。

女人的胴體。

我忽然被這種慾望佔據心靈，那時候我只想看一看那從未看過的禁區。
腦內雖盤繞另一道聲音提示著我，當一看到母親的裸體便要去喊爸爸。
但隨著母親身上的衣服越來越少，那聲音越來越弱，我的呼吸也逐漸加劇。
最後，我便瞪著眼，聚精會神地看著那電視劇總會跳過的畫面。
我沒有不安，只感到十分興奮，看得面紅耳赤，心跳異常劇烈。
忽然之間，我感覺自己有了些許反應。

我勃起了。

後來爸發現了，連忙跑下樓，我也跟了出去。
來到樓下的時候，早已沒了氣息的媽媽污血披面，身體無奈地躺在垃圾箱旁，發出陣陣惡臭。
唯獨一雙眼睜得大大，名副其實的死不瞑目。
爸爸抱著媽的屍體悲慟痛哭，我在旁邊看著，心裡微覺後悔。
雖然是我間接把母親害死，但說也奇怪，我的內心竟然沒甚麼罪惡感。

一點也沒有。

那天晚上，父親去了警局錄取口供，剩下我一個獨自留在家中。

幽靜的房子就只有鐘擺的「霍霍」聲。

我早就回到牀上。雖然母親離世使我思緒反覆，但小孩畢竟是小孩，很快我便被疲累擊倒，模糊入睡。

不過，到了午夜時，大廳忽然傳來一陣陣詭異的聲音，把我弄醒。

「沙……沙……」

聽起來，像有東西在地上拖拉。

本來我以為是爸回來了，沒有理會，換了個姿勢想繼續睡覺，可是那怪聲一直在外面緩緩徘徊。

從大廳到飯廳，從飯廳到爸媽的睡房。

直到我的房門前。

「喀……」

門給打開。

有人進了房間。

詭異的拖拉聲再次響起。

那人從門口一直「走」到牀沿，然後緩緩地，向牀頭「走」來。

我感覺到有東西在按著牀舖，從牀末一下一下的來到我旁邊。

我早已害怕得閉上眼睛，但耳邊只聽得聲音到了我牀邊，便即停止，然後再沒有發出任何聲響。

寂靜維持了一段時間，而我的心跳，卻漸漸加劇。

那令人窒息的幽閉使我受不了，最後，我咬一咬牙，張眼往牀邊一探！

甚麼也沒看見。

我舒了口氣。

「嘻！」

母親在我背後偷笑。

咯咯咯。

頭上的窗子傳來數記敲打聲，把我從夢境拉回現實。

我打了個呵欠，稍微回神，抬頭一看，只見窗外走廊上站著一個中年男人。

男人容貌清瘦蒼涼，卻有著一隻極妖異的眼睛。

他右眼和常人無異，可是左眼的瞳孔，鮮紅如血，正是我日思夜夢的那隻怪眼。

我呆在當場。

「找到你了。」

男人若有深意地微笑，左眼彷彿透射著奇怪的紅光。

我還沒有反應，陌生男子已經伸過手來，把我從課室中拉到走廊中。

接著，我眼前忽然一黑，呼吸也倏地停止了片刻，當一切回復正常時，我發現我竟身處學校無人的天台！

男人隨手把我放在地上，然後彎著腰，以極近距離，跟我對視。

「小伙子，叫甚麼名字？」男子問道。

「畢……畢永諾。」

「畢永諾……」男子喃喃自語，然後續道：「你的父母還在世嗎？」

「我媽早些年過身了，父親在我小時候就離家出走，多年來音訊全無。」不知怎地，這男人給我一種值得信賴的感覺，令我自然而然的坦誠回答。

「嗯，你爸應該早死了。」男人開始用粗糙的雙手在我左眼周邊按來按去。

「你……你是誰？你在摸甚麼？」男子看來雖不像壞人，但他的一隻眼睛實在奇異，教我不敢胡亂動作。

「從小到大，有覺得自己好像與眾不同，自己的行為性格總是與別人差異甚巨嗎？」男子反問。

「嗯。」我點點頭。那種感覺非常孤獨。

「有作過甚麼壞事嗎？」男子笑了笑，雙手停止摸索。

「害我媽慘死，應該算是壞事吧？」我略帶悔意的道。

「簡直十惡不赦。」男子頓了一頓，然後伸指指著左眼，「那麼，你有夢見過這隻紅眼睛嗎？」

我忽然呆了，只是張大了口沒有回答。

因為男人問完以後，竟用手指把左眼硬生生挖了出來！

他徒手將眼球，連血帶根地挖起，然後捧在手中，向我遞來。
眼球微微顫動，在男人的掌心中，彷似是有獨立靈魂般的看著我。
我極度震驚，想轉身逃走，但雙腳卻害怕得像被釘在地上，動也動不了。
連頭也轉動不到的我，只能驚慌地瞪著男子，瞪著他手中的赤紅眼球。
男子向我微笑，可是鮮血像淚水般從那沒了眼球的眼窩流出，其模樣只令我毛骨悚然。

「最後一個問題，曾經想過，你是魔鬼嗎？」

語畢，男子用右手的食中兩指，翻起我的眼皮用力一挖！
我的左眼，竟被他連根挖起！
撕裂帶來的痛楚使我忍不住放聲嚎叫，但我身子動彈不得，只能任由左眼離開眼眶！
男子臉色自若，同時一口吞下我的左眼！

「好了，接下來要幫你安上新眼睛，你會感到疼痛異常，昏過去的話，我今晚會再來找你，放心吧。」男子一邊咀嚼，一邊從容說道。語氣輕鬆得像我能完全理解似的。
我還沒回應，男人已經一手把我空空如也的眼窩撐開，另一手把那隻紅眼睛塞了進去！

眼球的進入十分順利，但當它一滑進去時，我便感到紅眼球在快速震動，同時四方八面的生出根來，與我眼窩內部組織連結一起！

「啊！」

我瘋狂吼叫，因為那種給眼球用力拉扯的痛楚，比剛才挖眼之痛，還要劇烈萬倍！

很快，痛楚便將我弄昏過去。

昏迷中，我再次夢到那隻紅瞳巨眼。

不過這一次，它長了一張大嘴。

巨眼朝我咧嘴獰笑，然後一口把我吃掉。

那是我最後一次夢到怪眼。

不過，惡夢才要開始。

第二章——鏡花水月

第二章　鏡花水月

碰！

有人在我伏臥的桌子上，用力拍了一下。

被拍擊聲吵醒的我，迷迷糊糊地睜開眼來，發覺自己正身處課室裡面，大部分同學都已經吃完午飯，坐回自己的位子。

看看四周，我疑心暗起：「剛才明明在天台昏了過去，怎麼又回到自己的位子？」

難道剛才的經歷都是夢？

那怪漢，那紅眼……紅眼！

想起自己眼瞳可能已經變得血紅，我連忙把左眼闔上，想去洗手間看看。

不過，當我站起來時，卻發覺旁邊的女同學，正給幾個男生圍住。

「你膽敢不把我放在眼內！」一人對著女同學怒吼，我單著眼一瞥，只見怒叫者正是班上的惡霸，名字我一時卻想不起來。

惡霸長得比同級男生都要高大壯碩，素來作威作福，不知道今天為甚麼挑上那位女同學。

不過，這些都跟我沒關係。

「你們可以讓開嗎？」我向惡霸與他的童黨們問道。

「看不到我們正在教訓她嗎？」惡霸手下的一個童黨推了我一下，「你是甚麼東西？竟要我們讓路給你！」

「我沒興趣你們在做甚麼，我只是要上洗手間，可以讓一讓嗎？」我稍微把頭別過，避免別人看到我臉上異樣。

誰不知他們竟把這別頭動作，當作是我不屑一顧的意思，只聽得惡霸低喝一聲，其他童黨忽然將目標轉移到我身上，數人立時圍成半圓，不讓我離去。

班上其他同學司空見慣，全都視若無睹，只自顧自的幹活。

「畢永諾，你是瞧不起我了？」惡霸扯住我衣領，一把將我提起。

「我沒有。」我仍然側著頭，沒有正眼看他。

「看，著，我。」惡霸沉聲要脅。

「我左眼入了沙……啊！」不等我把話說完，惡霸已用力將拳頭往我肚上鑽！

我曲著身按著肚，刺痛使我乾嘔了幾下。

「你看，還是不看。」惡霸拉著我的頭髮，逼使我看著他。

我怕紅眼嚇人，始終還是單著眼。

「看啊！我叫你用兩隻眼來看著我啊！」兩名童黨把我手拉開，另有一人扯著我的頭髮，讓惡霸能專注於猛力揍我肚子。

一拳，一拳，又一拳。

「你們不要再打他了！」女同學在旁尖叫，可是眾人都沒理會她。

「看我，我叫你看著我！」惡霸一邊打，一邊怒叫，「看著我會令你很難受嗎？」

惡霸拳上的力度越來越重，我終於承受不了，口裡一甜，嘴角流下一條殷紅血線。

那刺鼻的血腥，使我心中忽湧起一陣悲憤，想要動手反抗，無奈我手腳被數人制住，只能單眼怒瞪惡霸。

惡霸見到我嘴角血絲，滿意似的一笑，接著忽然一拳轟向我左眼！

就在此時，我的左眼忽然微微一震。

「把眼打開吧。」

一道既妖異又磁性的聲音突然鑽進耳中，我左眼同時自然而然地睜開。

就在我睜開眼的瞬間，四周環境忽地鎖在濃濃的黑霧之中。

除了惡霸，餘人皆被黑暗吞噬！

我看了看惡霸，只見他全身靜止不動，揮向我的拳頭亦擱在半空。

他眼神依舊憤怒，卻猶像著了魔般，直挺挺的站在我面前絲毫不動。

這時，那妖異的聲音又在我耳邊響起。

「做得好，你現在已經進入了這大個子的思想領域。你想他待會兒看到甚麼幻象，集中精神，構想一遍就可以了。」那妖異聲音的主人，似笑非笑地道。

我嚇了一跳，因為那聲音就在我耳邊發出，彷彿有人貼著我的臉在說話。

「誰？」我環顧四周，可是除了惡霸，就只有漆黑，我完全看不見其他人。

「我嘛，算是你的同伴吧。」聲音的主人回答。

「那……那我現在該怎麼辦？」我焦急問道，因為我害怕離開不了這無盡的幽靜黑暗，只想四周盡快變回原狀。

「都跟你說了，集中精神去幻想啊。」聲音的主人略為不耐煩地道。

「幻想？我不知道該幻想甚麼！」我仰頭大叫。

換了是他人，應該以為自己在作怪夢，但才剛在天台被逼換眼的我，倒是明白眼前一切，並非假象。

「他剛剛不是把你打得遍體鱗傷嗎？現在正是報復的好機會。你想他看見甚麼可怕的幻象，待會兒他便會親歷其境般，感受一遍。」聲音的主人狡笑了一下，誘導性的說道：「試試看吧！」

想起剛才被毆至吐血，那血腥味仍殘留在嘴角，我的怒火便再次燃燒起來。

我瞪著惡霸兇巴巴的樣子，惡念頓生。

「剛才，打得很痛快吧？」我冷笑一下，「既然你那麼喜歡欺凌弱小，就讓你欺負個夠！」

笑罷，我便集中精神，將預備好的情景，重頭到尾構想一遍。

構想完畢，四周黑暗立時退卻，環境又回復正常。

正當我期待惡霸會有甚麼可怖變化時，剛剛靜止的拳頭，竟擊在我臉上！

我臉上吃痛，心下正大感奇怪，此時惡霸忽然問道：「為甚麼會有嬰兒的叫聲？」

聽到這句話，我的嘴角不禁翹起。

因為我知道，他的惡夢要開始了。

「甚麼嬰兒聲？」所有人都因惡霸這一句話而摸不著頭腦，因為除了我和惡霸，似乎沒人能看得到課室外，有數十名嬰兒，正一個接一個的爬進課室，然後朝惡霸爬去。

嬰兒們臉上全是無邪的笑容，可是他們的樣子卻是一模一樣。

甚至連叫聲，都是一樣。

數之不盡的嬰兒緩緩爬向惡霸，惡霸不敢相信眼前景象，但也一步一步的向後退卻，直至整個人緊貼牆上，一動也不動。

嬰兒們繼續向他逼進，重複的「哇哇」叫聲此起彼落，當為首的那名嬰兒爬到惡霸旁邊時，那雙嫩白的小手，忽然抓緊惡霸小腿。

同一時間，所有嬰兒同步發出一模一樣的歡愉笑聲，然後通通用雙腳站起來，跌跌撞撞的跑向惡霸，用力抓住他！

「滾……滾！」惡霸見狀大駭，慌亂地把正往上爬的嬰兒拋開，可是嬰兒數目實在太多，他怎用力拋，身上掛著的嬰兒只越來越多！

其他同學見惡霸忽然著魔，不停自言自語，還瘋狂地手舞足蹈，無不離他遠遠的交頭接耳起來。

嬰兒們如潮水般湧至，不消一會已經將惡霸的下身埋了大半，有些爬得較高的嬰兒，更扯開他胸前衣服，咬扯起他的乳頭來！

惡霸本來一直還有忌諱，但被這群來歷不明的嬰兒弄得心煩氣躁，手上力道忽然加劇，一把將一名牢牢抓住他手臂的嬰兒，往牆猛摔！

惡霸的臂力素來甚大，這麼一摔，嬰兒的頭顱立時開花，爆出來的腦漿全都濺在惡霸身上。

「麻煩了。」當惡霸以為那嬰兒已死，想把他拉走時，那頭顱裂開的死嬰忽然瞪著眼，張口尖銳大叫！

同一剎那，惡霸身邊所有嬰兒皆銳聲尖叫，然後頭顱同時炸開！

腦漿四散下，嬰兒們突然天真不再，全都換上一張可怖邪惡的臉，紛紛張口，噬向惡霸！嬰兒口裡皆長著如鯊魚般的數層尖牙，勁道出乎意料的大，惡霸全身瞬間佈滿見骨傷口，血流如注！

他拼命揮拳，想把嬰兒從身上擊走，可是嬰兒數量實在太多，惡霸竟反被他們按倒地上。

但見有些嬰兒咬噬惡霸的鮮肉，有些拉扯他的頭髮，有數個更把他的嘴強行拉開，然後把腦袋流出來的腦漿，倒進他口中！

惡霸全身被壓得動彈不得，被迫要把所有腦漿吞下。

他的喉頭發出「荷荷」聲，面露慘痛之色，可是按著他的嬰兒沒有絲毫同情，只是猙獰地笑。

終於，惡霸抵受不住，雙眼一翻，便即昏倒過去。

嬰兒們見他暈倒後，終於住手。

他們一致地轉過頭來，向著我咧嘴一笑後，便即煙消雲散。

四周再次回復原狀，只是惡霸躺在地上失禁的樣子，比較突兀。

同學們被惡霸方才的異常舉動嚇到，人人只是呆在當場，沒有作聲，直到其中一名童黨首先回過神來，才連忙跑出課室，向老師求助。

我在坐位上想欣賞自己的傑作時，忽地想起左眼異樣，連忙將之闔上。

「不用閉了，你的魔瞳已在沉睡狀態，跟平常沒分別。」妖異的聲音又在我耳邊響起：「幹得不錯嘛，小朋友，頭一次使用魔瞳，就可以把他嚇成這樣子，我看他這次定要變成白痴了。」說罷，聲音的主人哈哈大笑。

「白痴？有那麼嚴重嗎？」我輕聲問道。

據我觀察，那人說的話只有我聽到而別人卻不能，既然有此本領，我推測就算我小聲說話，他也能聽得到。

「會啊！」果然，聲音的主人立時回應道：「雖然我不知你使他看見甚麼，但依來他受驚的程度看來，他神智已經受損了。怎麼了？你後悔嗎？」

「沒有，這人平常可惡得很，將來也不會是甚麼好東西，現在把他變得痴呆的也不錯。」看見惡霸現在的樣子，我心裡暗自痛快。

「小子真是邪惡得很，果然是一頭不折不扣的魔鬼。」

「魔鬼？」這名詞，剛才換眼睛的時候那男子曾提及過。

「對啊，你就是魔鬼，不然你怎麼能安上魔瞳？」

「魔瞳？你是說我現在那顆左眼嗎？」我問道。

「對，那是魔鬼才可擁有的眼睛。」此時，聲音的主人怪笑一聲，「嘿，你的老師們快要來了，晚一點我再找你說清楚吧。」語畢，他便沒有再發出聲音。

老師到達後不久，救護員亦緊接到來，將惡霸送去醫院。

老師喚來班上所有同學們，詢問當時情況，但所有人都不知道整件事的來龍去脈，只見到惡霸在毆打我後忽然發瘋，朝空氣拳打腳踢。

同學們當然都沒有將惡霸毆打我的事說出來，因為誰也不知他之後會不會回到學校。至於老師問到我身上的傷時，我也只是支吾其詞。

老師見問不出甚麼來，便暫時放我一馬。

調查的工作初步完成後，下課的鐘聲便響起了。

老師說有需要的同學可以留下接受社工的心理輔導，不過作為原兇的我，當然立即回家。

回到家時，天早已黑。

眼看爸爸還沒回來，我弄了個即食麵吃後，便回到自己的房間去。

躺在牀上，我不禁思索起今天發生的所有事情。

越想，越覺不可思議。

怪事相繼出現，使我的疑惑有增無減，但奇怪的是，我並沒有感到害怕，反而隱隱有點興奮。

我真的是一個魔鬼？

我的左眼是魔鬼的象徵？

那麼今天那男人也是魔鬼嗎？

無數疑問在我腦海裡盤旋不休。

魔鬼、魔瞳，我被這些突然出現的古怪名詞弄得頭昏腦脹，但一切也只能待到那怪男人或神秘聲音的主人出現時，才可得到答案。

「小朋友，給我打開窗子吧。」

妖異的聲音，忽然在我耳邊響起。

我吃了一驚，連忙從牀上跳了起來，轉頭看往窗外，卻立時傻眼。

但見牀頭的窗框外，正坐著一頭通體黑得發亮的小貓。

黑貓與我相對而視，但牠那雙靈動得過分的碧綠眼睛，卻瞪得我毛骨悚然。

正當我在疑惑牠是不是那個神祕人時，黑貓忽然口吐人言：「呆子！還不快點給我開窗。」

是神秘人的聲音！

我聞聲連忙上前，打開窗子。窗子才開了一道小罅隙，我只見黑影一閃，黑貓已經坐在我的牀上。

「嘿，初次見面，我叫拉哈伯。」

黑貓搖晃長尾，邪邪地笑。

第三章 —— 突發奇變

第三章 突發奇變

「拉……拉哈伯？」

我眼看著眼前的黑貓，張口詫異的道。

「對，就是拉哈伯。看樣子你應該是聞所未聞吧。嘿，我的名字在千百年前，可是令人聞風喪膽呢。」拉哈伯皺眉嘆息一下。

「千百年前！」我聞言忍不住驚呼一聲。

看著這頭和一般黑貓無異的拉哈伯，我實在不敢想像，他竟是頭老妖怪。

不過，他既能說人話，活上千年似乎也不是甚麼奇怪的事。

「不用如此驚訝，你們人類不是傳說『貓有九命』嗎？」拉哈伯冷笑道：「我就是那傳說的來源啊。」

「來源？那麼說你豈不是活了數千年？」我難以置信的道。

「數千年？嘿，遠多於此！好了，不要再在我年齡上糾纏。」拉哈伯笑了笑後，忽正容道：「小子，你叫……畢永諾，對吧？」

「嗯。」我點點頭。

「其實，我跟你都是一樣的東西。」拉哈伯搖晃著修長的尾巴。

「同一樣的東西……你意思是，我們都是魔鬼嗎？」我問道。

「嗯，就是魔鬼，或者是墮落天使。」拉哈伯說道。

這時，只見拉哈伯忽側頭看著天空，眼中露出淡淡無奈和愁緒，似是想得出神。

我沒有打擾牠的思緒，因為那一刻，我彷彿感同身受到牠那份悲傷，感受到牠對某些事的後悔。

沉默持續了好一會兒，我決定先把靜局打破。

「拉哈伯，你說你是魔鬼，那你也有魔瞳嗎？」我問道。

我向來沉默寡言，但今天遇到兩名陌生怪人，話卻反而多了。

不知怎地，和拉哈伯談話能令我感到放鬆，或許因為我倆皆不屬於這世界，一人一貓都是魔鬼，所以產生了墮落的共鳴。

拉哈伯聽到我的問題，便把頭轉回來，至於臉上愁色，已一掃而空。

牠沒有作聲，只是左眼朝著我眨一眨。

眨眼前的一刻，雙瞳碧綠，再睜開眼時已經是左赤右碧！

那靈動得過分的左眼，突然散發出濃厚的妖邪氣息，教我不寒而悚。

牠目光投過來時，竟讓我產生錯覺，彷彿那是一頭獨立的眼形惡魔。

「你果然也是魔鬼呢。」我喃喃說道。

換作是他人，大概會被眼前這頭詭異的黑貓嚇傻，只是我知道自己已和牠一樣，左眼眼瞳能轉成紅色，所以看在眼裡，沒有太大感覺。

「所有魔鬼，身上都會有至少一顆魔瞳。」拉哈伯解釋道：「不過，就算你曾經為魔，萬一魔瞳被毀或者給挖走，身上再無魔瞳的話，那就再算不上是魔鬼了。」

我點頭示意明白，又問道：「那麼你也可以進入其他人的思緒中，使其產生幻覺嗎？」

各種神話中皆有魔鬼，而當中的魔鬼又愛引誘凡人，我猜想那是因為魔瞳可以使他們產生幻覺，讓凡夫俗子看見迎合自己心意的異像，怎料拉哈伯的答案又與我所想不符。

「錯。每顆魔瞳各自有不同的異能，但能力絕不重複！」拉哈伯邪邪一笑，道：「每頭魔鬼都需想盡辦法吃食人類們的靈魂、慾望或負面情緒以維持生命，而魔瞳則是我們最有力的工具。魔瞳能力可謂五花百門，而魔鬼則需要根據自己的魔瞳異能，制定不同策略。」

「食魂為生！那麼我今後也需要吸食人類的靈魂嗎？」我聞言萬分驚訝。我本以為魔鬼有了魔瞳，能在人世呼風喚雨，想不到背後卻有如此束縛！

「當然需要！這是天上唯一為了懲罰背叛的天使，因而設定在魔瞳裡的限制。你已成為一頭貨真價實的魔鬼了，想活下去，就得好好找『食物』。」

說到這時，拉哈伯忽然往房門方向，瞥了一眼，「有個男人正在上來這兒。」

「男人？應該是我爸爸吧？」我看看牆上的掛鐘，說道：「他平常差不多是這時候回家的。」

「嘿，是你爸爸，那就最好不過。」拉哈伯笑了笑，漫不在乎的說：「小伙子，我先跟你說，你現在只剩下三天的命。」

「三……三天？」我詫異得張大了口，道：「為甚麼……我會只剩下三天命？」

「我們每次打開魔瞳都會耗掉體內魔氣，而使用魔瞳異能的話，耗掉的魔氣就會更多。」拉哈伯打了一個呵欠，緩緩解釋道：「今天早上，你花掉不少魔氣去製造幻覺，因此你現在體內的魔氣已所餘無幾。三天之內，如果你沒有吸收靈魂或慾望的話，便會因魔力耗盡，身遭『天劫』而喪命。」

「『天劫』又是甚麼東西？」我皺眉追問，不敢自行想像。

「『天劫』是天上唯一對魔鬼的另一懲罰，只要身上魔氣一盡，『天劫』便會立時出現。每一頭魔鬼所遭受的『天劫』也不盡相同。」拉哈伯搔著頭毛，說道。

「那麼……要是我把魔瞳挖出來呢？」我想了想，問道：「沒了魔瞳，我也不再是魔鬼，應該不會再受天劫限制吧？」

「一日為魔，終生為魔。」拉哈伯看著我，冷笑一聲，「即便你現在把魔瞳挖了出來，三天之後壽命一盡，你還是得身受『天劫』而死！」

拉哈伯的話使我眉頭皺得更緊，但看到牠一臉泰然，我便知道牠不會坐視不理。

果不其然，拉哈伯不懷好意的瞧了我一會兒後，忽說道：「與其不停幻想自己的死狀，倒不如想辦法去續命吧。」

「那我應該……」我小心翼翼地問道。

「你爸爸有一股很強烈的慾望。」拉哈伯忽然打斷我的話，一躍下地，低頭在地上嗅了嗅：「這是思念的味道。他似乎對某個人想念得牽腸掛肚啊。」

「其實他是我的繼父。我媽媽過身後，他便一直和我相依為命，照顧我的起居飲食。」我下了牀，蹲在拉哈伯旁邊說：「不過，我媽離世也快十年，爸爸他這些年沒另覓新歡，也不曾帶過女性回家。」

「看來他對你母親仍一往情深呢。」

「嗯，這房子是他們新婚時所買下的。到了現在，他還堅持保留當時一切，不論是傢具還是擺設。」我頓了頓，續道：「爸爸還不時在媽的書房懷念。有時候待得夜了，就直接在那兒睡。」

拉哈伯聽著，沒有接話，只是「嗯」了一聲，黑色長尾左右搖擺，似是在思想甚麼。

我見牠沒有反應，便轉個話題，道：「拉哈伯，我可以和你一樣嗅出別人的慾望嗎？」

說著，我俯身嗅了嗅地板，但沒有任何特異之處。

「傻子，你當然可以，但首先要打開魔瞳。」拉哈伯看見我的模樣，忍不住嘲笑。

「怎樣才可以把魔瞳打開？」我眨了眨左眼，感覺如常。

「魔瞳需被一些負面情緒刺激，像害怕、憎恨，甚至邪念或慾望才會甦醒。今天你給那大個子打得吐血時，憤怒得想將他殺之而後快，就是那一刻，魔瞳便出現了。當然，經過一段時間的訓練，你可以隨心所欲地開闔魔瞳。」

說罷，拉哈伯便在我面前示範何謂隨心所欲。

只見牠不停地眨著左眼，但瞳色卻是一閃一閃的紅綠交錯。

「試仔細回想一些會令你覺得憤怒或傷心的事吧。當你感覺到左眼在震動時，那便代表魔瞳已經甦醒。」拉哈伯停止眨眼，瞳孔變回原本的碧綠色。

我平常甚少與別人交流，偶爾發生接觸也只是點到即止，因此沒太多事情能讓我留下深刻印象，在我腦海中，暫時還只有今早被打的事能令我憤怒。

於是，我集中精神，努力回想著在學校被打的情況，只是我心中覺得，惡霸已經得到了他應有的教訓，一時間竟氣憤不了。

「不行啊，拉哈伯。」我無奈地喊道。

「真沒用……好吧，你現在先放鬆心情，把身體也放鬆……」拉哈伯語調忽然一轉，聲音滲透著強烈磁性，教人不得不專注地聽牠的話。

聽著牠的話，我全身不期然的放鬆起來，身子自然而然地躺臥在地。

看著雪白的天花，我的神智更加放鬆。

「對了，就是這樣……現在閉上眼睛……然後深呼吸。」拉哈伯繼續吩咐。

我跟著拉哈伯的指示，闔上眼睛，然後深深地吸了一口氣。

四周非常幽靜，空氣中傳來的，就只有鳥兒的「吱吱」聲、夏蟬的「知了」聲、和我自己沉重的呼吸聲。

忽然。

「嘻。」

媽的笑聲突然在我耳邊響起！

我聞聲一驚，猛地坐直身子，背部瞬間被嚇出一身冷汗。

這時，我只覺心跳劇烈無比，呼吸也變得急促，但同一時間，我感到左眼在震動。

「你將來要好好訓練對魔瞳的控制。」拉哈伯從我的肩上跳下來，道：「來吧，打開左眼，你的魔瞳已經醒來了。」

我此時明白剛才是拉哈伯在我耳邊模仿我媽的聲音，但我卻想不透牠怎會知悉我媽的聲線。

「剛才你是在作怪吧？」

我一邊說著，一邊照鏡，果見鏡中的我左瞳如血，不過相比起拉哈伯的魔瞳，我那顆魔瞳的妖邪之感實在微弱，色澤也遠沒牠的鮮艷。

「嘿，沒錯，那是我魔瞳的能力，嚇著你倒不好意思。但不嚇你，你又開不了魔瞳。」拉哈伯咧嘴邪笑。

「好了，現在魔瞳都喚出來，那下一步該怎樣？」我揮揮手，感覺上身體比平常靈活。

「下一步，當然是去獵食。」拉哈伯瞇著眼說，尾巴向門口指了指。

「你要我去吸收爸對媽媽的思念嗎？」我問道：「但我吸收完之後，會不會對他做成甚麼損害？」

「當然會，世界必須要平衡，若有所得，必有所失。除了天上那位，沒人可違抗這定律。」拉哈伯解釋道：「所以，你吃了你爸的慾望，他就會減壽。」

「為甚麼我吃他的慾望他就會減壽？不應該只是減少他對我媽媽的思念嗎？」

「所謂生命能量，就是由靈魂、慾望等等組成，一個沒有生存意慾的人，遠不及一個渴求存活的長命。」拉哈伯冷笑道：「人啊，根本和我們一樣，從來都是依賴慾望而生。所以吸食慾望，就是吸食壽命的意思。」

「既是如此，那我改吃別人的吧。」我說道。我雖然和爸爸的感情談不上很好，但如非必要，我可不想他白白折壽。

「你爸爸快到了，下決定之前先聽我說三件事情。」

「甚麼事情？」我眉頭一皺。

「一，你要得到力量，方法只有兩個，要麼跟別人立『血契』交易，要麼引起別人的負面情緒，像毆打某人，使其驚恐懼得讓負面能量流出體外，你再去吸食。」拉哈伯打了個呵欠，然後對著我繼續說道：「只是第二個方法中，一個人流出身體的能量有限，數量遠不及直接交易，而且要大量吸食流出體外的負能量，需要一定訓練。」

「那麼第二和第三件事情呢？」我一邊聽著牠的話，一邊點頭。

「二，你今天連續兩次打開了魔瞳，所耗的魔氣不少，萬一這三天之內你再次打開，魔氣隨時耗盡，那時你便完蛋了。」拉哈伯冷冷的看了我一眼，道：「三，如果你只吸食一年半載的份量，並不會對你爸有太大影響的。」

「我能控制吸食的份量嗎？」我好奇地問：「如果只是要爸爸短一年命的話，那也不妨。」

「控制份量嘛，你現在還不行，吸食技巧可是一門大學問。」拉哈伯笑道：「但你初獲魔瞳，成魔不久，可以吸收的靈魂不多，頂多只能吞噬他一年性命。」

我想了想拉哈伯的話，最終還是點點頭，道：「那好吧，我該如何立『血契』？」

因為這是我第一天當魔鬼，當一回吸食別人的靈魂，我心裡不禁微感興奮，同時希望這樣對爸不會有太大影響。

「立約的方法，說難不難，說易不易。」拉哈伯邪笑解釋道：「所謂『血契』，就是要先將自己和對方的血混在一起，然後問他一些像『為了見到某某，你願意放棄十年生命嗎？』之類的問題。只要你提出交易的條件，而他又答應，那麼『血契』就會立時形成。」

「之後，我只要滿足『血契』的內容，那麼當中的交易條件，就會自動達成嗎？」我問道。

「不錯。」拉哈伯點了點頭，「譬如說條件是得到對方十年性命，那麼只要你完成『血契』的內容，對方的十年生命能量便會立時轉送到你身上。」

「原來如此。」聽完拉哈伯的說明後，我仔細想了一遍，該如何令爸答應我。

不消一會，我已想到了辦法。

待會兒爸爸回來後，我便故意摔破杯子，然後在他面前徒手執拾，再故意讓碎片割損自己。

爸爸見狀定必會上前檢查我的傷口，其時我便趁機利用杯碎片劃破他的手，這樣「血契」的第一條件便能完成。

之後，我再跟爸談及媽媽，並故意問他道，如果上帝給他一次機會可以再見到媽媽，他會否願意減壽一年。

以爸爸對媽媽的思念，他定必願意，那時「血契」就能成立。

最後，我只要利用「鏡花之瞳」，使他產生幻覺，看見媽媽就行了。

我越想越覺得這計劃天衣無縫，正當我在沾沾自喜時，忽有一道輕微的聲音，傳入我耳中。

我立時想起，那是升降機到達時所發出的響聲。

「拉哈伯，我的耳力好像提升了不少呢。」我驚訝地說，稍稍把精神集中在聽覺上，便立時有各式各樣的聲音，湧進耳朵。

「嘿，傻小子，魔瞳的好處還不止這些，過些時候你就會更清楚了。」拉哈伯笑道：「你還是預備怎去騙你爸吧。」

「我已想好方法，事情應該會很順利。」我自信滿滿的一笑。

「嗯，想好就行。待會兒只要你覺得周身舒暢，渾身是勁，那就是成功吸食靈魂的徵兆。」

拉哈伯一語方休，我便聽得家的大門，傳來開鎖聲。

我家面積不大，可是房與房之間的隔音設備很好，即使我在這兒大喊大叫，只要門窗都好好關上，那麼連隔壁爸爸的睡房裡，都不會聽到半點聲音。

可是現在我非但聽到大門門柄扭動的聲音，甚至連爸爸的心跳聲，我也聽得一清二楚，彷彿我正貼伏在他胸膛似的！

這種能聽到一切的感覺很是新鮮，使我不期然地專心細聽我爸的一舉一動。

我閉目傾聽，首先聽見東西放在桌上時的碰撞聲音。

那碰撞聲略帶沉厚，應該就是爸把公事包放下。

接下來，我便聽見地板上的腳步聲，一踏一踏，緩慢地自大廳一直「響」到爸爸的書房。

爸爸到了書房後，腳步聲忽地停下，然後就是櫃子打開的聲音。

沒多久，爸爸的步伐又再響起。

只是這次，他的腳步，來到我門前便停止了。

我聽見爸爸站在門外，正想率先把門打開，給他一個驚喜。

但忽然之間，心頭無故泛起一陣異樣的感覺。

慢著。

我心中隱隱覺得不妥，手就擱在門柄上不動。

「小子，你爸的情緒，有點奇怪。」拉哈伯語氣疑惑，說出我剛才留意到的不尋常，「我好像，嗅到一絲殺意。」

我點點頭，沒有作聲，只是在專注聆聽門外的聲音。

爸爸的呼吸聲就在門外停留，偶爾傳來吞嚥口水的聲音。

二人一貓，全都一聲不響。

爸的手上，忽然發出金屬的摩擦聲！

「喀嚓。」

「糟糕！」

拉哈伯大喊一聲，忽然撲進我懷抱，那道衝勁，竟大得把我直撞到牆角！

我大聲呼痛，可是還沒來得及反應，一陣震耳欲聾的槍聲已經響起！

砰！砰！砰！砰！砰！砰！

數以百計的銀色軌道在我們原本的位置急速劃過，力量強大的彈頭，瞬間將房門拆得支離破碎！

我被眼前的景象嚇得呆了。

我完全不敢想像如果剛才逃走不及，會變得何等血肉模糊！

整個房間很快便鎖在嗆鼻的灰煙之中，再沒有一件完整的東西。

就在這時候，我的手臂忽然傳來一陣劇痛！

「啊！」我大聲呼痛，低頭一看，只見臂上有三條血痕，而拉哈伯正在旁對我怒目而視。
「還在發呆？快用拳頭往這裡打！」拉哈伯用尾巴指了指旁邊的牆子，然後定眼看著房門那邊。
「擊打這水泥牆，會把這一切停止麼！」我憤怒的喊道。
雖然我心中疑惑萬分，但還是聽從拉哈伯的話，握緊拳頭，奮力朝牆壁揮去。
只聽見「轟」的一聲，拳頭擊處，水泥牆竟立時出現一個兩尺高的大缺口。
看到這缺口，我不禁對自己拳頭的力量，大感詫異。
「跟下來！」拉哈伯見狀只是拋下一句，接著黑影一閃，已經率先躍了下去。
我家離地七層樓高，我不知道貓兒跳下去，能否安然無恙，只知一個普通人如此躍下，定必粉身碎骨。

但現在已經不容我多想，我只能希望世上不會有跳樓而死的魔鬼。

「可惡！」
我罵了一聲後，便即往外一縱，才躍出些許，我身子便立時筆直下墜！
急墜之時，周身的氣壓使我一時間難以呼吸，連眼也幾乎睜不開。
我勉力往下看，只見街上途人，都抬頭看著這邊，議論紛紛。

至於早我一步到達地面的拉哈伯，這時則坐在一名男子的左肩上，悠閒地搖晃著尾巴。

那男子，竟就是把魔瞳給了我的怪人！

男子抬著頭，氣定神閒地看著我，直到我快要著陸時，才放聲喊道：「呼氣，將力都卸在地上！」

聽到他的話，我立時把肺中的空氣，悉數呼出，一時卻不知該怎樣把力道都卸走。

只是，當我快到地面時，雙腿忽自然而然地伸直，然後在接觸地上一剎那，順勢弓身。

「砰！」

一聲巨響，隨我著陸的地面微微下陷而響起。

「安全著陸。」男子見狀，拍手笑道。

我一時驚魂未定，但仍注意到他的左眼竟完好無缺。

「喂，快點走吧，此地不宜久留。」拉哈伯皺起眉頭。

男人笑了一笑，沒有回應，逕自坐上了他旁邊早已打開門的一輛房車，然後向我招手道：「上車吧，你現在已經不能回頭。」

我茫然地看著他，又回頭看了看大廈上被我打破的牆壁缺口。

灰色的濃煙從缺口中裊裊昇起，我依稀能看見爸爸從缺口中探頭，若有深意地看了我一眼，然後又退回房子中。

「好，我跟你走。」我嘆了口氣，最後還是上了房車。

男人一踏腳板，車子便即開動，絕塵離開現場。

今天所有事情的出現，實在太過突然，坐在車上的我，此刻內心極度混亂。

先是被人強行挖走眼珠，塞進魔瞳，變成魔鬼，及後又對同學使用異能製造幻覺，當我回到家，正想吸食爸爸的壽命時，他又忽然變了另一個人似的，毫無先兆下想將我置諸死地！

朝夕相對多年，我壓根兒沒想過爸爸會藏有如此可怕的武器，更沒想過他會用這武器去殺我！

「混帳！」

我終於按捺不住，握拳朝車門用力打了一下！

被我擊中的車門，立時像飛碟般脫離車身，迴旋間更把一名路人攔腰斬去！

街上途人見狀，紛紛尖叫，四散亂逃。

「冷靜點！」男子一手握住方向盤，另一手按住我的肩膀，「我知道你現在很激動，但胡亂洩憤也於事無補！」

「你不知道。你怎會知道我的心情！」我憤怒地吼叫：「怎麼會突然發生這麼多奇怪的事？那個和我相處了十年的爸爸，怎麼會問也不問便想殺死我？」

說著說著，我竟激動過頭，忍不住流下淚來。

「我知道那種心情，因為我比你經歷過更不可思議、更難以接受的事情。」男人看著前方的道路，淡然道：「只因，我們都是魔鬼，是被天上唯一放棄的一群。魔瞳，從來只會帶來無數的不幸與厄運。」

「是嗎？」我擦了擦眼角的淚，木然地看著他，問道：「如果我將魔瞳還給你，事情會停止嗎？」

「不會。已發生的事，永遠不能回頭，你把魔瞳還給我，也不會有所改變。而且，你未來的路，還需要依靠魔瞳。」男人繼續正視前方，道：「再說，世事都不是我們所能控制，從來主宰一切的，是天上那位。」

「嘿，難道祂決定的事，我們統統都不能改變嗎？」我冷笑道。

「一般凡人、一般魔鬼，都無法抗衡他。」說到這兒，男子頓了一頓，朝我正容道：「但你，有這個可能。」

男子的話使我呆在當場，我回頭看了看後座的拉哈伯，發現牠竟也微微肯首。

「鬼話連遍。」我冷笑一聲，閉眼躺在椅背。

怪人，魔瞳，會說話的貓，突然想殺我我爸爸。現在他們更說我能對抗上帝。

一切一切，實在太過荒誕，太過離奇。

啪！

我用力摑了自己一個耳光，熱騰騰的痛楚使我確定自己仍是活在現實，而非一個惡夢裡。

「我，一定要跟神作對嗎？」我睜開眼，無力地問道。

「一定要，我和你都沒有選擇的權利。」男人說道，語氣依舊平淡。

「這樣子，我不也是在順從祂的意思？」

「只是時機未到而已，當所有事情發展到最後，你將會有扭轉局勢的能力。」男人自信滿滿地道。

「為甚麼是我？」

「到那時候，你當面問祂吧。」男人說著，手指向天一指。

我聞言冷笑，沒再作聲，只是聽著車廂迴盪的音樂。

車子一直駛到機場，我們很快便決定乘坐其中一班飛機，離開香港。

雖然我沒帶上旅遊證件，可是乘飛機這點事，又怎會難到魔鬼？更何況現在有不止一頭。

「各位好，我是機長路易斯，歡迎各位乘搭由香港飛往開羅的班機……」飛機開始駛動，機艙旋即傳出機長的講話。

我坐在靠窗的位子，看著飛機慢慢加速，直至離地升空。

坐在我旁邊的師父，即那怪男子，周景淵，道：「多看幾眼，你將有一段長時間不會回來。」

我沒有回頭，只是「嗯」了一聲，繼續凝視窗外風景。

夕陽西下，萬道金光照耀著這朝氣蓬勃的小小城市。

密集的建築物，卻像是故意跟斜陽對抗，天還未黑，已經有不少地方燈光閃閃。

「真是不自量力。」

我冷笑一聲，隨即把窗閘拉下。

這一離開，重回舊地便是四年後的事了。

第四章——故地重臨

第四章　故地重臨

香港，旺角。一個龍蛇混雜的地方。

旺角的街頭上總是人如潮湧，可是過了午夜，情況卻大有不同。月黑風高下，樓閣上的霓虹像街上流鶯般發出褪色的光芒，無謂地爭艷競麗。這兒本是一個五光十色的地方，每天晚上夜總會、按摩店等色情場所都人滿為患，可是經過金融風暴的打擊後，現在皆人去樓空，只剩下一片殘垣敗瓦。

人們都要節衣縮食，又哪來的閒錢去風花雪月？

一名三十出頭的流鶯倚立在路邊欄杆上，抽著菸等嫖客搭訕。流鶯有一個「藝名」叫作小燕子，取自某電視劇女主角的名字。這位小燕子的姿色，只得女主角的二分。臉上過分的濃妝艷抹，顯得她俗不可耐。雖擁有驕人上圍，但同時亦有著嚇人的大臀部。

沒甚麼本錢的她，其實也自知不適合再幹這勾當，可是當初隻身來港後，十多年來都是這般出賣色相，現在要她另謀生計，早已沒有動力。

初來港時年紀輕，自有一股青春氣息去吸引男子，每天賺到的錢，足夠令她到處揮霍。

但隨著年歲漸長，在風塵中打滾更為易老，小燕子的身價一落千丈，現在掙到的錢，也只能勉強糊口。

或是，偶爾買一兩包香煙。

小燕子兀自想得出神，手中的煙卻不知不覺間燃燒到盡頭，把她食中兩指灼痛。

「媽的！」小燕子罵了一聲。

曲指一彈，煙屁股便拖著一道尼古丁的尾巴，墮落到地。

看著地上微弱火光，小燕子的思緒再次隨風飄盪。

忽然，有人踏腳，把那煙蒂踏熄。

小燕子仰頭一看，發覺是一名骨瘦如柴的中年漢。

中年男子瞪著自己，臉上神色靦腆，很害羞似的。

小燕子見是客人，便即擠出笑容，搔首弄姿地迎上，一把抱住他。

「帥哥，想快活一下嗎？我叫小燕子啊，我的功夫還不賴啊，保證會讓你欲仙欲死，樂而忘返。」小燕子向中年漢大拋媚眼，還不住扭動身子，用大胸部向他擠壓。

中年漢仍是紅著臉，默不作聲，只是偷瞄著她的乳溝。

小燕子想他可能是頭一趟嫖妓，不知所然，於是半請半推的把中年男人拉到賓館。

男子沿途都沒有反抗，只是不時偷望小燕子，進房間前還主動掏錢出來。

來到套房中，小燕子已經急不及待地脫衣洗澡，因為她已經在車水馬龍的街上站了一整天，身上塵垢甚多。

剛把上衣脫去，男子忽然輕步走到小燕子背後，單手環腰抱著小燕子，另一隻手捏著她的乳房，同時貼著她耳邊，柔聲問道：「待會可能會很吵，這裡的隔音設備還可以吧？」

小燕子見他舉止大膽了，想是因為這室子內只有兩個人便放膽起來，於是轉過身來，伸臂套著他的脖子，妮聲道：「當然好，何況這兒的人都見怪不怪，我們多吵都不會有人理會。」說罷，便吻了男子一下，隨即伸手去解開他的衣領。

「那就好了。」

男子忽然獰笑，然後拿出一柄萬用刀，抵著小燕子的肚皮。

小燕子嚇得呆了，不敢動彈！

她萬萬料不到這中年漢竟會突然發難，之前倒是被那副膽小的樣子騙倒。現在，小燕子只祈求他劫財也好劫色也好，不傷她的性命就行。

中年漢像是看透她在想甚麼，忽然在小燕子肚上劃破一道不淺的傷口後，笑道：「不用怕，你的命我是要定的了！但你只要乖乖聽話，我便讓你死得痛快。」

小燕子受傷後忍不住倒地大叫，男人皺起眉頭，俯身先用左手捣住她嘴巴，然後右手一揮，把她左邊的乳頭一下割掉！

「我說，你要聽我的話。你那麼吵，給發現了可怎麼辦？」語聲未畢，男子已將另一邊的乳頭切斷。

小燕子早已痛得雙眼翻白，不斷發出沉重的呻吟聲，她拼命反抗，可是男子力道大得出奇，竟把她完全制住。

男子看到小燕子痛苦不堪的樣子，似是興奮難捺，忍不住用手在她乳房上重重的捏一下，然後張口吸吮！

小燕子的傷口劇痛無比，痛得她幾欲昏倒，這時，男子張開滿是鮮血的口，獰笑道：「你爽爽快快的告訴我，我便爽爽快快的在你乳房下一刀，給你作個了結。」說罷，便把按住小燕子嘴巴的手鬆開。

「求求你放過我……我甚麼都不知道！你想知道甚麼，我全都告訴你……」小燕子氣若遊絲地求饒。

「放是放不得的，但你還是要回答我的問題。」中年漢說到這兒，臉色忽然認真起來：「說，妲己在哪兒？」

「妲……妲己？」小燕子瞪眼看著男子，一臉難以置信。

「對！你不從實招來，我就把你的肉一片一片地割下，直到你死為止！」

「我……我不知道你在說甚麼……妲己啊……」小燕子戰戰兢兢地應道，心中更是悲從中來，想不到自己竟會遇上瘋子，更沒來由的給他殺害。

中年漢聽後勃然大怒，一手按住小燕子的嘴巴，另一手在她下體處揮刀亂剁。

小燕子只覺下體傳來陣陣痛楚，想呼叫卻又張聲不得，肉體與精神上的折磨使她幾近崩潰！

男子在她下體亂斬洩憤後，便放開手，然後平心靜氣地說：「說，不然我可以將你的命保住一個星期同時神智清醒。」

看到男子的神情，小燕子已知生存無望，只好胡說求個了結，於是便道：「我知道……知道妲己在哪兒……」

男子喜形於色，然後用刀抵在小燕子的左胸上，問道：「快說！妲己在哪兒？」

小燕子把心情盡量平伏，然後慢慢說道：「妲己……她在……封神臺裡面……」

「幹！」

男子怒不可遏，揮刀將她左耳整隻切下！

小燕子奮力把男子推開，然後殺豬般地大叫。

男子立時揮拳向她太陽穴重擊下去，趁小燕子一瞬間的暈眩，立即一手張開她的嘴巴，然後另一手提刀往嘴裡一剮，把她的舌頭齊根割掉。

沒了舌頭的小燕子咽喉滿是鮮血、作聲不得，只能眼巴巴地看著男子用刀，一片片的把她身體切割開來。

男子一刀比一刀快，而每割一刀，他的神色就更為興奮！

很快，小燕子已經抵受不住這凌遲的煎熬，暈死過去。

這一昏迷，她便沒再醒來。

只是，在她的頭被男子割離身體那刻，她的眼睛不知怎地睜了開來。

雙眼中的怨毒，並沒有隨著靈魂的離開而消失，只是無聲色地看著這個血肉模糊，佈滿碎肉的房間。

不知過了多久，一名大男孩來到這房間。

男孩的肩上，坐了一頭毛色黑得發亮的貓。他走過來，將小燕子的頭捧起來。

接著，男孩的右眼以極近的距離，瞪著小燕子的左眼。

那是一隻，瞳色鮮紅的右眼。

我一陣哆嗦，先關上右眼魔瞳，又吐出胸口中的濁氣，最後才將小燕子死不瞑目的頭顱放下。

「怎麼了，有看到甚麼嗎？」拉哈伯坐在我肩上問道。

「嗯，是一個四十來歲的中年男子，身材瘦削，約莫一六五公分吧，應該是一個變態殺手。」我摸著下巴說道：「那男人裝成嫖客後把她騙到這兒，才進房間便露出原形。從他們的對話中卻聽不出誰是主使者，只知他們也正在尋找妲己。」

我一邊說，一邊四周觀察，想看那男人有沒有留下甚麼證據。

那男的顯然是名慣犯，現場只有血肉四散，他存在過的跡象卻一點也沒有。

「妲己……」拉哈伯先是尋思，然後問道：「小諾，你能看到小燕子的腦海中出現過的朋友或同行嗎？」

我搖頭說道：「不行，這『追憶之瞳』我才裝上了一個星期，頂多只能回顧死者生前二十四小時的事情。」

拉哈伯嘆了口氣，道：「那麼按情況來看，我們可得加快步伐。雖然不知道指示者是誰，但如果給他們先找到妲己，情況可不妙。」

「不用擔心，那男的現在應該距離這裡不遠，借助魔瞳的話，我大可追上。」我說道，然後把魔氣集中左眼，喚醒「鏡花之瞳」。

魔瞳一開，我只感身體立時輕盈百倍，房間裡面的氣味，此刻我都能仔細地分辨。

「鑽進來吧，我要起跑啦。」我鎖定那男人的氣味後，已經將他離去的路線嗅得一清二楚。

拉哈伯不作一聲地透過衣領跳進我的上衣內，牢牢抓好。

我活動一下關節，深深吸了一口氣後，便將魔氣貫於雙腿，然後如箭離弦般躍出露台，落到街道上高速奔馳！

眼下街道無人，使我能放心疾跑。

由於我奔跑的速度實在太快，身邊景物全都變得模糊不清，而我只是專心跟隨殺手留下的一絲氣味奔走。

氣味的軌跡從頭到尾都是在公路上，顯然殺手在犯案後乘車離去。

沿著他的氣味追趕，我離開了旺角市區，直上了過海的高速公路。

當我嗅到那股氣味越來越濃烈時，我就知道快要追上他了。

但在此時，拉哈伯忽然在我懷中說道，「哼，看來我們來遲一步了。」

我剛想出言詢問，鼻子卻已嗅出前方不遠處，正散發出一股淡淡的血腥味道。多跑一會兒，只見前方昏黃的街燈下，有一輛黑色轎車，默默地橫躺在公路中心。男人的氣味和血腥味，正是從車中散發出來。

我提氣一縱，恰恰在司機的位子旁邊著陸。

車窗的顏色跟車身一樣，都是黑如濃墨，使人難以看透，不過有了魔瞳，我的目光遠比凡人銳利，自然能把車內的狀況看得一清二楚。

我低頭一探，只見司機位上，有一人正俯臥在方向盤上，一動也不動，正是那變態殺手。

我凝神靜聽，周遭只有我和拉哈伯的心跳聲，以及車子的馬打發動聲。

「一點生命跡象也沒有。」我說道。

「先把他的屍體拿出來吧。」拉哈伯從衣領竄出來，坐在我肩上，「再用『追憶之瞳』，看看他怎麼遇害。」

我應了一聲，然後伸手想把車門打開，可是一拉之下，才發現那車門上鎖。

於是，我將少許魔力匯集於手，然後運勁想要強行扯開。

嘭！嘭！嘭！

車子突然連環爆炸，發出轟天巨響！

高溫火舌從車廂中席捲而出，像一隻火巨人的手掌，瞬間將我拉進火海！

幸好我久經鍛鍊，火焰爆出的瞬間已立時以雙手護首，雙腳同時用力一蹬，整個人躍到半空。

我低頭一看，只見車子本來的位置已燒成火海，無數火焰流轉其中，濃煙如龍般升空。

「小諾，這邊來！」只聽得拉哈伯在我背後大喊，回頭一看，原來拉哈伯早已坐在路燈上。

我翻了兩個後翻，順勢把身上火焰撲滅後，也降落在燈柱上。

「呆子！訓練了那麼久，反應還是像豬般遲鈍。」拉哈伯罵道。

「我怎麼可跟你相比呢，我才當了四年的魔鬼而已。」我笑道。

雖然口中說不是自己的責任，但我看拉哈伯身上的毛光亮如新，應該早在爆火流出前已跳上燈柱，反觀自己此刻身上衣服大半燒毀，心下實是自愧不如。

拉哈伯聞言搖頭嘆道：「唉，你現下這狀況，怎能將你師父交付的事情辦妥呢？」

聽到他提起去世的師父，我的心情立時沉了下去。

拉哈伯見狀不語，只是和我一樣，默默地看著燒得火熱的車子。

烈火滔滔，映得我倆的臉，一陣暗一陣亮。

正當我想出聲打破靜局時，忽然，在熊熊火團中傳出一陣令人毛骨悚然的狂笑聲，接著一個火人，突然從車廂中緩緩地爬了出來。

那人全身被火焰包圍，可是他恍若不覺，七手八腳的從火海中爬出後，忽地站了起來，弓著背，腳步蹣跚地走向我們所在的燈柱。

方才我從車外看進去時，已確定車內只有殺手一人，而殺手也早已氣絕。眼前的火人毫無心跳，由此可知，這火人應該只是被別人操縱的屍體。

「拉哈伯，是驅屍術嗎？」我皺眉問道。

驅屍術源遠流長，在世界各地都有流傳。中國傳說裡的殭屍，正是給人利用驅屍術控制的屍體。只是現在會這法術的人少之又少了，不過我曾在埃及遇到一個會驅屍術的盜墓者，他總是喜歡利用從墓中挖掘出來的屍體，替他工作。

「不是驅屍術。驅屍術需要在被操縱的屍體上用施法者的鮮血畫上符咒，而且操縱的距離，頂多只有一公里。」拉哈伯搖搖頭，道：「莫說這裡四下無人，即便那殺手身上寫有血咒，在剛才的大爆炸中也定必燒毀掉，所以絕不會是驅屍術。」

「那會是魔瞳嗎？」我推測道。比法術厲害的，也只有魔鬼的眼睛而已。

拉哈伯微微點頭，說道：「這火屍應該是被『傀儡之瞳』所操縱著。」

「『傀儡之瞳』？聽名字好像挺厲害。」我笑道。

「嗯，這個我容後再解釋，我們現在先下去吧。」拉哈伯看著那火屍，冷笑一聲，道：「這火屍不會只是喚來嚇人，必定有話傳達。」

一語方休，拉哈伯便已縱身躍下，我見狀也緊緊跟隨其後。

一人一貓恰好落在火屍之前，火屍似有所感，駐足不前，過了半晌，忽然「嘿嘿」的笑了起來。

我不耐煩地道：「有話快說，不要站在那邊像個白痴般傻笑。」

火屍似乎聽到我的話，忽然抬頭看我。這時，我留意到他的眼神，跟先前在小燕子記憶中所看見的，不大相同。

那殺手雙眼本來充滿殘忍的神色；可是現在火屍的眼神，明顯沒有殺手的殺氣，取而充之的是令人望而生畏，如深淵的陰森。

「我勸你盡早收手，不要再追查其他魔鬼的下落了，安安分分地隱居生活，當個普通魔鬼可不好麼？」火屍沉聲笑道：「你勢孤力弱，難以跟我鬥，你再這樣窮追不捨，打亂我的計劃，到時休怪我無情！」

火屍說話時，口吐著不屬於那殺手的聲音語調，顯然是操縱者在借屍放話。

那人雖然語氣平淡，但話裡自有一股兇狠。

「嘿，我倒想看看你有多大能耐。」我冷笑道，火屍聽後只是笑了一聲。

這時，一直在旁不語的拉哈伯忽然問道：「羅弗寇，還記得我嗎？」

我詫異的看著拉哈伯，只見他神色略有異樣，似乎跟這操屍者早就相識。

不過，火屍看了看拉哈伯，又思索了一會後，卻問道：「你是誰？」

「看來火焰損毀了你的眼睛吧？這也難怪你認不出來。可是我的氣息，你應該還有印象吧！」

拉哈伯說罷，忽然打開魔瞳，散發出一股滔天魔氣！

周遭的禽鳥被拉哈伯氣勢所嚇，統統展翅落荒而逃，但火屍卻毫無所動，只是對拉哈伯上下打量。

接著，火屍突然間一動也不動。

我看看火屍的雙眼，只見他的眼神不再陰沉，只剩下一片呆板漠然。

「拉哈伯，那人好像停止操縱了。」我皺眉說道。

誰知此話一出，那火屍突然猛烈爆炸！

幸好吸收了剛才的教訓，我一直暗自戒備，這次不等到火焰撲來，我已然躍回燈柱上。

「真奇怪，那明明是羅弗寇，怎麼會認不得我？」拉哈伯的聲音忽然在我肩上發出。

打開了魔瞳後，拉哈伯的身手靈活百倍，連我也看不清楚他是何時跳到我的肩上。

「可能他是認出了，不然怎會忽然離去？」我說道。

拉哈伯「嗯」了一聲，然後沉默不語的獨自思索。

在燈柱上待了一會兒後，遠處忽然傳來警車的警報聲。

反正證據和殺手的眼睛也早已燒毀，於是我倆便不再多留，離開了現場。之後，我們寄宿在小燕子遇害地點對面的一家賓館中，好方便監視。

這段時間，拉哈伯一直默不作聲，我也懶得去打擾他。

洗過澡後，我換了一套剛買的乾淨衣服，拿著罐裝飲料，靠在窗邊，看看街上景色，看看這個久未踏足的地方。

自從四年前我離開香港之後，我一直都待在埃及生活和受訓，從沒回過香港。

直到大半年前師父去世，我才離開那片一望無際的沙漠，與拉哈伯為伴，在世界各地追尋其他惡魔。

其實我師父留下來給我的事情，就是希望我和拉哈伯盡可能集合所有魔鬼。

因為不久之後，我們魔鬼將會面對一大災難，唯有集腋成裘，讓眾魔鬼們同心合力，才有機會化險為夷。

但奇怪的是，這半年來，世界各地的魔鬼全都人間蒸發般，音訊全無。

約在一個月前，我們意外得知有一名在二次大戰時擔任日本軍官的魔鬼，正在東京隱居。

收到消息後，我們立即動身前往東京。

不過，當我們來到日本後，再次得到那名魔鬼的消息，卻是從報紙上的報導。

原來，早在我們到達日本前的一個星期，那軍官已經給人殺害。

報導說軍官死因不明，因為經過檢驗，屍體上沒有任何明顯傷痕，亦沒中毒的跡象，一切就像自然離世，唯獨軍官的右眼被挖掉，則成了他被殺害的鐵證。

我和拉哈伯推測，殺掉軍官的人大有可能是另一頭魔鬼，但對於他挖走魔瞳的動機，我們卻一時揣測不到。

魔鬼雖然能擁有多於一顆魔瞳，可是要開啟每顆魔瞳，必需要有一定數量的魔氣支持，而同時將魔氣流向多顆魔瞳，則是一門較高階的技術，因為稍一不慎，就會「走火入魔」。

對魔鬼來說，「走火入魔」就是魔氣不受控制，不斷流泄體外。

當魔氣流光的時候，就自然得面對「天劫」。

因此，對許多魔鬼來說，同時擁有兩顆魔瞳，還不如專心修煉一顆自己悉熟的來得有效和安全。

知道軍官被殺後，我們沒有立時離開日本，因為我們覺得那殺魔者，很可能和世界各地的魔鬼失蹤有關。

我們在日本四出找尋殺魔者，無奈始終不得要領。

直到一星期前，我們打算到當地的警局查探時，剛巧遇上一名警察遇襲。

那天，當我剛踏進警局，便感覺到二樓有一絲淡淡的魔鬼氣息，於是便連忙喚出魔瞳，趕了上去。

來到現場卻發現一個大漢，正踏著一名日本便衣警察，還俯身想去挖他的眼睛！

我見狀立時出手將他打昏，回頭再去看那警員時，卻發覺他早已死透。

後來我們帶著那大漢和警察的屍體離開，回到住所時，那兇手早也因為我那一擊，重傷而死。

不過那大漢先前的舉動，倒提示了我們，那日本警察的眼睛，是一顆魔瞳，因此我便將自己的右眼換成警察的魔瞳。

後來稍加試驗，才知道那是能夠閱讀死人生前記憶的「追憶之憧」。

不過我初用這顆魔瞳，功效實在不大，只能勉強看到屍體死前數分鐘的時間。

接下來的日子，我不眠不休地訓練，無時無刻都對那大漢子和警察的眼睛，試圖挖出他們更多記憶。

就在兩具屍首開始發出陣陣屍臭時，終於，我利用「追憶之瞳」得知那大漢所屬的組織，下一個目標就在香港！

我們火速趕來，才打探沒多久，便發現了小燕子的兇案。

可是，我們終究是來遲一步。

正當我在思考事情的來龍去脈時，一直坐在牀上的拉哈伯忽然打斷我的思緒，道：「小諾，我覺得此事非比尋常，羅弗冠像是變了另一個人似的。你今後行動，切記打醒十二分精神，我們的對手，似乎不簡單。」

我轉身看著拉哈伯問道：「為甚麼你如此肯定操縱者就是他？」

「因為羅弗冠擁有的，就是『傀儡之瞳』啊。」拉哈伯皺眉說道。

「會不會是他遇害，然後魔瞳給人家奪去了？」我摸摸下巴問道。其實這可能性實在不低，畢竟在日本已有兩頭魔鬼的魔瞳，相繼被人奪去。

「嘿，我們魔界七君可不是浪得虛名。若有人能把他幹掉，那兇手就是你也難以抗衡的角色。」拉哈伯自信地道：「其實，我已有許多年沒見過他，想是他性情變了，也未可知。」

拉哈伯所說的魔界七君就是地獄之皇，撒旦．路斯化的七大手下，而拉哈伯正是其中一員。

世上的魔鬼，其實可以細分為兩種。

第一種，是曾為天使，但在第一次天使大戰中被天上唯一所制服，被逼墮落凡間的先天魔鬼，像是撒旦和魔界七君；第二種則是像我那般受魔鬼引誘，後天裝上魔瞳，由人類變成的後天魔鬼。

一般而言，先天魔鬼比後天的要強得多，但有時會有像我一般的例外。

據拉哈伯說，我的資質千年難得一見，只要加強訓練，絕能達到先天魔鬼的水平。

「看來魔鬼們的神秘失蹤，跟那個羅弗寇大有關連。無論如何，我們還是要趕在他之前，把其他魔鬼找出來。」我說道。

「嗯，我們現在只能根據唯一的線索去追查。」拉哈伯皺起眉頭。

「你指妲己嗎？」我問道。那殺手所查探的就是這件事。

「對，按照情況推斷，她現在應該身在香港，我們可得先比羅弗寇找到她，這樣才可以弄清楚所有事情。」拉哈伯說道：「而且若有妲己這樣的一個強援，我們面對那危機時，勝算便增添了幾分。」

「拉哈伯，那妲己很強的嗎？」

「比現在的你強吧。」拉哈伯打了一個呵欠後續道：「好了，快些休息吧，明天開始又會忙得不可開交。」

說罷，他便在枕頭上，曲著身子進睡。

我沒有立時上牀就寢，而是仍舊看著窗外的街景。

其實，旺角的街頭大廈密集，街景也沒甚看頭，只是面對了數年的滾滾黃沙，重回舊地自不免要懷念一下。

天雖黑，但昏黃的街燈還是令人看得到路上情況。

街道上人煙稀少，只是偶爾有一些醉酒的人在喧嚣，除此之外，街道總是寧靜得很。

隨著時間流逝，我身旁地上積聚的空罐子越來越多。

我整晚就是對著沉默的街道思前想後，四年前的生活光景在腦海一幕幕的略過。

我想起爸，心裡不期然的產生一股怒意，可當想到媽媽時，心，又軟下來。

如此以街景伴酒，一直到天色微藍，我才收拾心情，上牀睡覺。

「嘭！」

可是在我闔上眼不久，忽然有一道槍聲，驚心動魄的劃破安靜！

第五章

絕世妖姬

第五章 絕世妖姬

槍聲響起，打破肅穆，我和拉哈伯亦隨之驚醒，就在這時，街外又響起另一聲槍響。

槍聲響處，應在隔街的馬路旁，想起洗手間的窗子該能看到那位置，我們連忙走進去，探首出窗外觀看。

這時旭日初升，金光萬丈，街上情況盡收眼底。只見一個孕婦披頭散髮的倒臥在街頭，奄奄一息。

孕婦肚上和胸口都血如泉湧，看來剛剛那兩發子彈，正是射向她的肚子和心臟。

街道四下無人，兇手已然逃去。過不多時，一輛救護車火速駛至，想是附近的居民聞槍聲後召來的。

救護車尾隨著一輛銀色房車，車頂設了一個閃爍著藍光的警號燈，看來是一輛便衣警的車子。

那銀色警車後來先至，比救護車更快駛到那中槍孕婦旁邊。

警車才停下來，負責駕駛的警察立時飛奔去孕婦身旁，跪下細看。

「那女的已經回天乏術了。」拉哈伯冷冷的道。

我打開魔瞳，細心傾聽，那孕婦果然已經停止心跳。

聽得那男警呼天搶地，抱住女屍，泣不成聲。車上其他警員此時已下了車，圍著那男警和孕婦。看到此情此景，眾人臉色盡是傷感，顯然一眾警員與那孕婦早已相識，那男警更說不定就是她的丈夫。

這時救護員已經下車，連忙拉開男警，然後嘗試替孕婦急救。可惜過了一會兒，救護員還是搖了搖頭。

那男警似是刺激過度，頭一仰竟就昏了過去。一名救護員連忙把他扶到一旁，其他的則用黑色袋子將孕婦包裹帶走。

其實這種情況，我和拉哈伯都見怪不怪，因為有魔鬼在的地方，總是會引起無數意外災禍。也許，這是天上那位對我們的咀咒，又或者是因為魔鬼身上，總是積存大量的負能量。

但這一次，我看著街上這一幕生離死別，心裡竟浮現一瞬即逝的遺憾。

這女子使我想起媽媽，因為二人都是在街頭死於非命，二人都是母親，二人的丈夫也是在死後趕到。

或許，要是我們不寄住在這裡，那女人便不會在此喪生。

不過，這世界並沒有「或許」。就算是魔鬼，也不能改變這一點。

「唉，被那該死的槍聲弄醒。」拉哈伯打了個呵欠，說道：「不過既然醒了，我們事不宜遲，這就出外去打探吧。」

拉哈伯睡了一整夜，當然精神飽滿，可是我剛上牀便發生兇案，現在倒是有點疲累，於是說道：「我還沒睡過，你好歹也讓我先休息幾個小時吧？」

拉哈伯望著我，搖頭嘆息道：「好吧，你待在這睡會兒，我自己先出去找一下。」

聽到拉哈伯這樣說，我便即躍上牀倒頭大睡。

一直到數小時後拉哈伯回來，我才給他弄醒起牀。

「這裡附近的妓女我都尋訪過了，沒有妲己的蹤影。」坐在椅子上的拉哈伯，舐著爪子說道。

「那我們該怎麼辦？擴大搜索範圍，還是到香港以外的地方找尋？」我打了個呵欠，發覺自己的口氣中人欲嘔，連忙走進洗手間刷牙。

拉哈伯隨我進去，跳上洗臉盆旁說道：「先在這兒多待幾天吧，有些娼妓到晚上才活動，我們可要一個不漏的查明清楚。」

我一邊刷著牙，一邊口齒不清地問道：「其實我們找的妲己，是不是那個九尾妖狐，狐狸精的始祖？」

「不錯，就是她。妲己本是一頭普通狐狸，有次意外得到魔瞳後，便漸漸有了靈性。」拉哈伯搖晃著尾巴說道：「自此之後，她在深山日夜刻苦修行，最終突破極限，化成人形。」

我將泡沫吐在洗臉盆中後，問道：「那麼她修煉完畢，就化名妲己，來到人類社會生活，更迷惑紂王，顛覆商朝？」

「對，其實歷代聞名的美人，十之六七都是她，像楊貴妃、陳圓圓等。因為帝皇武將手繫天下蒼生，妲己只需迷倒他們後，用言語引誘他們出兵打仗，窮兵黷武，那麼戰事中喪命的千萬亡靈都盡化為能量，供妲己吸收。」拉哈伯道。

我訝異地道：「那麼她的壽命，可不是無窮無盡？」

「假若她只是安安定定生活的話，那些戰事中所產生的能量，確能夠她活上數千年。不過嘛，這小狐狸不甘平凡，成魔後仍是持續潛心苦修，所以魔氣也耗用不少。」拉哈伯說到這，忽然側頭回想，道：「我曾與她有過數面之緣，若說實力，她在魔鬼中可算是頂尖兒。有段時間，魔界七君需要補選，妲己曾一度想位列七君，何惜原本的七君中，有人以她非先天魔鬼為由，不容許她加入。」

「那她實在厲害得很呢！」我略感詫異的道。

「嗯，所以我現在怕的不是她被羅弗寇殺害，而是受他拉攏。」拉哈伯點頭說道：「我雖然不知道羅弗寇葫蘆裡賣甚麼藥，但要是給他捷足先登，我們找尋其他魔鬼加入的計劃，就會大受阻滯。」

我思索了一會，問道：「那我們找到她後，又怎能勸服她加入我們？」

拉哈伯神秘地笑了笑，一對碧目流露出狡猾的神色，道：「山人自有妙計。」

我不忿拉哈伯的得意模樣，想作弄牠一番，於是用迅雷不及掩耳的手法，一手想把他抓住，然後塞往盛滿污水的洗臉盆。

看見牠恍若不覺，我心中大感得意，可是手掌快要觸到牠時，拉哈伯竟突然發難，以比我稍快的速度跳起，躲開我的一抓，然後在半空一個筋斗，恰恰落在我頭頂。

拉哈伯有意為難，下落的力道自然非同小可，我半張臉立時栽進污水中。

我拼命掙扎，可惜拉哈伯的重量卻使我只能勉強抬頭半分。

只聽得牠在我頭上冷笑道：「嘿，小子想要我出醜，可不容易呢！」

一語方罷，「啪」的一聲，我只覺頸部劇痛，想是拉哈伯以尾作鞭，在我頸背抽了一記。

雖然如此打鬧於我倆而言乃家常便飯，但那記抽擊實在疼痛。

我怒從心起，雙腳左肘同時從三面擊向拉哈伯，盼牠會躍起自保。

果不期然，三路殺手迫使牠跳離我的頭頂，趁那一瞬空檔，我餘下的右手立時用力一按，使身子翻騰半空，卻見那洗臉盆不勝受力，已被我按得粉碎。

這時我雙眼重見光明，看到拉哈伯在下方一臉得意模樣，便大笑一聲，道：「臭貓！今天就和你玩一下吧！」

拉哈伯微笑不語，只是用一記頭鎚來回應我。

於是，我們便在這賓館房間中「玩樂」一番。

經過片刻的「玩樂」，房間已被我和拉哈伯破壞得支離破碎，面目全非。

正當我們想偷偷離去時，恰巧有一名清潔工人經過門口。

為免多生事端，不得已我只好用「鏡花之瞳」，使他看到這房間最乾淨整潔的一面。

那清潔工人在我們離去時，還不忙大聲道謝，我向他揮揮手，連說「不用客氣」後，便抱著拉哈伯，一同大笑離去。

接下來的數天，我們都四出明查暗訪，可是妲己依舊音訊杳然。

期間，我曾偷偷回到舊居。不過，那兒空空如也，一件傢具也沒有。

屋子內曾被破壞的地方都修補無缺，明顯是有人想掩飾事件。

看到佈滿塵埃的地板，我就知道這兒已久無人居。

在這段時間裡，拉哈伯跟我說了些妲己的事。

妲己意外所得的魔瞳名喚「銷魂之瞳」，是已知的眾多魔瞳之中，最靈動誘人。

別人看上一眼後不單會被其迷惑，捨不得將頭轉開，而且不論男女老幼，都會被這隻魔瞳激起慾火。

如果妲己不停手的話，被迷惑的人更會一直看著她的眼睛，意志一點一點地磨滅，最終變成一個沒有自身意志、卻慾火焚身的空軀殼。

說來巧合，假若當初妲己還是狐狸得到的是另一隻魔瞳，那麼她不明其用法，只會精力耗盡而死。

偏生她得到的是「銷魂之瞳」，別的生物看著她，便會不自覺地被她吸引，強行求愛。也許是當狐狸的天生本領，妲己很快就領悟到採陽補陰之法。如此在山頭上吸食各種動物的精華，數百年後，自我頓悟，幻化成人形。

一直以來，妲己都只會對一些位高權重的人施以媚術，因為他們的一言一語，往往都牽連眾多生命。

可是現在時移世易，以往那種君主一統天下的時代已不復再，因此她早已隱居多年。此刻重現凡間，拉哈伯猜想是因為妲己在修煉中消耗甚多，急需能量，才投身風塵，用最快又安全的方法，搜括足夠魔氣。

聽得拉哈伯說到這兒，我忍不住道：「那真是嘔心，這妲己淫蕩污衊，想不到還有那麼多人為她所迷倒，爭著和她歡好。」

「我怕你看到她後，也不禁被其迷倒。她的魔瞳固然厲害，但她的外貌可更加……嘿嘿！」拉哈伯看著我，冷笑了一聲，道：「我們話說在頭，如果你自己受不住引誘，也別指望我會救你。」

我哈哈大笑，道：「我不相信自己這麼容易會被迷倒，大不了我雙瞳齊開，和她對抗。」

「不可！」拉哈伯聞言，立時正容道：「小子，無論如何，你都不能同時間把兩隻魔瞳都喚出來，我想你也不希望……」

我打斷拉哈伯的話，說道：「老貓，我那是在開玩笑，後果為何，難道我自己不清楚麼？」

說罷，也是無可奈何的嘆了口氣。

經過十多天的查探，我們還是毫無頭緒。

訪問過數百人，不論是妓女嫖客或扯皮條，都無人見過一名特別艷麗的妓女。

即便是有雙眼異常靈巧的，我們尋到後還是發現那些人並非妲己。

為此，拉哈伯更是出動了野貓群作線眼。

動物一般都有比人更強的感應力，而拉哈伯也不是會甚麼驅貓術，只不過他懂貓語，在野貓群面前散發一點點魔力，嚇得牠們馴服聽話後，就讓牠們牢記魔氣的感覺，然後命牠們在各處尋找。

無奈，野貓們始終還是找不到妲己的蛛絲馬跡。

在這十數天中，我們也沒聽聞有甚麼重大命案發生，不知羅弗寇那邊是停止了搜索，還是已經找到妲己。

「難道真的給羅弗寇搶先一步？」拉哈伯在我懷裡低聲沉吟。

這時我們正在一棟殘舊唐樓，拾級而上。

不久之前，我們收到消息，說這樓上有一名新搬來的妓女，眼睛明亮，客人不絕，所以我們便來此碰碰運氣。

來到三樓，辨明單位後，我便拍了拍木門，同時對拉哈伯小聲說道：「我們只能寄望這裡真和妲己有關，不然我們不得不放棄。」

我的話才剛說完，眼前木門忽地打開，只見一名身材瘦削，身穿校服的女孩站在門後，探出頭來，似笑非似的看著我，正是今天最後一個尋訪對象。

「手，五百；口，一千。」女孩倚門輕笑一聲。

這女孩相貌平平，卻有一雙大眼睛，一眨一眨的，頗為明亮靈動。

女孩臉色皎白如雪，稚氣未脫，想來只有十五六歲年紀。

「沒有全套服務嗎？」我看著女孩笑道。

女孩臉蛋忽地一紅，瞪了我一眼後，便轉過身低聲說道：「進來吧！」

我微微一笑，也都跟著女孩進屋，不過當我一腳才踏進去，拉哈伯忽爾用「傳音入密」說道：「小諾，有貓兒告訴我，旺角那邊有魔氣出現。我現在趕去看看，你查探完畢，就趕過來吧。」

我還未來得及答應，只覺胸口一涼，拉哈伯已悄然離去。

這「傳音入密」正是四年前，拉哈伯在我初用魔瞳時跟我溝通的功夫。

「傳音入密」能令施法者將話，只說給目標一人聽見，別人即使見到施法者口唇在動，也絕不會聽到半點聲音。

然而，這功夫甚是難練，連我也是只明其法，施展不來。

眼下正是黃昏時候，我走進大廳之中，只見夕陽的金光，穿過高樓大廈的阻格，灑落在地上白磚。

我四下環顧，但見大廳內只有一張沙發和餐桌，再沒甚他東西。

雖然房子細小，卻打掃得甚是乾淨，一塵不染，看起來像是尋常人家的房子。

女孩在我身後把門關上後，便突然說道：「先給我錢。」

我轉過身來，只見她低下頭來，伸出左手，比了比兩根白玉般的手指。

我看著她這副模樣，不禁啞然失笑。

女孩聽得我在笑，便抬頭瞪視，臉現慍色，嗔道：「你在笑甚麼？」

我笑著說道：「你怕我會賴帳不付錢嗎？你一直以來都是這個樣子，沒把客人嚇跑嗎？」

女孩本來煞白的臉頰忽然紅了，含怒不語，眼眶濕潤，似是想哭。

我見狀連忙取出錢包，道：「好了好了，你不要哭吧。我看到女孩掉眼淚可會大失方寸。這裡有二千元，你先收下吧。」

說罷，便取了兩張千元紙幣出來，遞到她面前。

誰不知女孩一手把錢拿走後，頓時換上一張嫣然笑臉，朝我笑道：「一直以來我的客人都會乖乖把錢奉上，哪像你這般囉唆。」女孩看到我傻了眼的樣子，笑得更是燦爛。

我搖頭苦笑，道：「現在女孩的心思真是難測。」

那女孩格格嬌笑道：「不光是現在的女子，自古以來女性都可是深不可測，不然又怎會出現『女人心，海底針』這句說話呢？」

說罷，女孩用她那雙大眼看著我，微笑不語。

我聽到這句話，疑心頓起，不知她是否語帶雙關，因此故意說道：「你怎知古代女人，也是這般多心思？依我看來，甚麼『女人心』的句子是現代女人所創。女子自古單純，只懂感情用事，是現下女子受的教育多了，心思才變得古靈精怪。」

「呸！那是你們臭男人霸道，千年來不停打壓女子的權利而已！」女孩臉現怒色，說道：「說起古代能幹的女子，實是多不勝數。像武則天，在男權社會下當上皇帝，那是何等厲害？即使是吟詩論文，千古傳頌的女詩人還是有的，像李清照，那句『尋尋覓覓冷冷清清，淒淒慘慘戚戚』，只用上七對疊字……」

談及古代女子，女孩似乎忘了我是客人，滔滔不絕的解釋起來。

我微笑不語，表面裝作細聽她的話，暗地裡卻加強魔氣，同時留意她臉上神色。

女孩尤自不覺，仍在高談闊論，沒有絲毫異樣。

我一直把魔力增強，待至一里內的貓狗狂叫、禽鳥亂鳴，眼前女孩仍是神色自若，我這才散功，將魔氣收回。

女孩自顧自地說著，忽爾發覺我笑而不語，便問道：「怎麼樣？覺得我說得不對嗎？」

我搖頭笑了笑，反問道：「聽你說話長篇大論，不住引經據典，看來頗有學識，怎麼會幹起這種勾當來？」

女孩沒有回答，只是突然轉怒為笑，道：「我也差點忘了你來這兒的目的，只顧自說自的。」

她一邊說，一邊伸手把衣領的鈕扣除去。

「你怎麼會不知道我此行的目的呢？」我微微一笑，然後認真地道：「妲己！」

一語未休，我左手已然遞出，迅若奔雷，想一把擒住她的手。

女孩可能意料不到我會突然發難，竟完全不閃不格。

我看在眼內，滿以為能一擊將她擒住，誰知她的肌膚溜滑異常，我左手剛碰到她的皮膚，竟拿捏不住，滑了開去！

女孩彷若不見，只繼續妮聲道：「壞蛋！人家不正是在脫衣服嗎？怎麼那般性急呢？難道你想親自動手？」

說罷，她格格嬌笑，同時把上衣一下子脫去，只剩單薄內衣。

女孩語聲突然變得溫婉細膩，我聽在耳裡，心神猛地一震，轉念間便已明白，她正在施展媚術！

我連忙收攝心神，然後雙手抓向她的雙臂，眼睛卻避免和她直接對視。

「哎呀，你可真是頭急色鬼呢！」

女孩嬌笑，雙手抬起在胸前，依舊不作任何擋格。

不過，我雙手碰到她的前臂，竟又給滑開，雙掌被迫改變方向，意外在她胸脯抓了一下。

「哥哥！你輕一點兒，不然把人家的……弄壞了，人家可不依呢！」女孩忽然一聲嬌喘，有氣無力的說道，聲音比先前更為嫵媚浪蕩。

我心跳加劇，耳根燙熱，暗罵自己定力不足。

心下知道情況危急，我連忙深深吸下一口氣，運動體內魔勁，喚出「鏡花之瞳」！

打開魔瞳打後，我神智立刻堅定數倍，心中慾火亦同時撲滅，女孩的媚術，已經對我起不了任何作用。

我將呼吸調整好，冷冷地瞪視著她。

女孩見我左眼瞳色如血，知道媚術無效，便已停止施展，只是笑瞇瞇的看著我．

也不知在甚麼時候，她已把衣服盡數穿回。

「前輩，我並非想與你為敵，我來這兒的目的，只是想借助你的力量，你可不可以先聽我一言？」我恭敬說道，一邊留意她雙眼瞳色，以防她突然發難，打開魔瞳。

女孩笑盈盈的問道：「你怎麼說我就是妲己呢？」

「首先，這層樓宇殘破古舊，但我從地下走上來時，不見任何蛇鼠昆蟲，情況奇怪，想是被前輩的狐息嚇散；第二，剛剛我心下起疑，決定試探一下，便暗中將魔氣提升，直到方圓一里內的飛禽走獸皆驚得亂叫亂鳴。」我不徐不疾的把疑點提出來，「我將魔氣提高至如此水平，就算是常人，也會不寒而悚，可是前輩還是無動於衷，臉色鎮定如常，那不是欲蓋彌彰嗎？」

「原來如此，想不到你這般心思細密。倒是我百密一疏，給你發現了。」女孩邊聽我說，邊點頭道：「可是，你這樣對待我，不怕我會利用『銷魂之瞳』對付你嗎？」

「不怕。」我微笑道：「因為我早已用『鏡花之瞳』，入侵前輩的思想了！」

女孩聞言一驚，道：「是甚麼時候的事？怎麼我毫不知覺！」

「前輩還記得我給你的兩張千元紙幣嗎？」我指了指她胸前口袋，笑道：「其實，那不過是『大富翁』所用的遊戲錢幣。當然在前輩眼中，看起來與真錢無異，因為那是我所製造的幻覺。」

女孩聞言色變，連忙從口袋中拿出紙幣，卻哪裡是遊戲用的假錢幣？

「你騙我！」女孩抬起頭向我怒視，見我依舊臉掛笑容，甚是大惑不解。

我笑道：「不要疑惑，你且再看看。」

女孩再次低頭一看，這一看卻使她驚訝得合不攏嘴。

因為在她的視覺中，手上鈔票已變成玩具錢幣，一個笑容可掬的卡通富翁，正好印在紙幣中央！

女孩驚叫：「這是怎麼一回事？」

「我跟你說了，請前輩千萬不要生氣。其實，我剛剛的確撒了個謊，一直以來你手上拿著的，是真正的錢幣。」

「甚麼？」女孩看著我，一臉疑惑。

「當我把錢交給你時，還未打開魔瞳，自然入侵不了你的思想。所以，你最初接過的，乃是真鈔。我方才故意騙你說你袋中是偽鈔，目的是打擊你的自信，製造機會，讓我乘虛而入你那動搖的意志。」我看著她，微笑解釋道：「而你果然信以為真，連忙把紙幣拿出來看。你頭一趟低頭看時，我還未進攻，見到的自然是紙幣原本的樣子。但接著你心下大怒，我便叫你多看一次。乘著你那一剎猶豫，我便即入侵你的思想，因此你最後看到手中鈔票，變成了遊戲的紙幣，那才是我施放的幻覺！」

魔瞳的博奕，最重要的是施法者與受法者的意志強弱。

就算對著凡人使用魔瞳，只要那人意志力堅定不屈，那麼魔鬼還是有可能，無法成功運用瞳術。

剛才我故意說謊，就是想引起女孩懷疑，削弱她的意志，墜進我的圈套。

現在，我已經利用「鏡花之瞳」，入侵了她思想領域一遍，先機已奪，要再次讓她看幻覺，便容易得多，因此亦不怕她的反擊。

女孩聽完我的解釋，默默思索一會後，忽然跪倒地下，接著「哇」的一聲，大哭起來！

我見狀一呆，連忙出言相慰，沒想到聞名天下的妲己，竟是這般愛哭。

女孩沒有理會我的安慰，只是放聲大哭，邊嬌嚷：「媽媽，我不依！」

正當我心急如焚，感到束手無策之際，忽聽得背後有一女聲，軟綿綿的道：「煙兒，為甚麼坐在地上啼啼哭哭？受了甚麼委屈，都來跟娘說。」

那道女聲才傳入我的耳中，我頓時感到心中一陣激盪！

女聲有如玉珠相擊，清脆動人，使人心花怒放；又像出谷黃鶯，悅耳異常，足可繞樑三日；更似是天籟美聲，超凡脫俗，使聽者彷若置身九霄雲外！

儘管我早已喚出魔瞳，定力大增，可是聽到那道女聲之後，還是身不由己的把頭轉望向她。

這一轉頭，卻使我連呼吸也停了，心噗噗亂跳，著魔般地看著眼前的絕色女子！

只見眼前美人肌膚勝雪，吹彈可破；柳眉鳳目，星波流轉；而且櫻唇若華，嬌艷欲滴；一把及腰黑髮更是亮澤幽香。

美人雖然神色冷漠，但眼神裡，又暗暗透露出一股似有還無的憂怨，極是惹人憐愛！

她身材高挑，只披著一件薄薄的紅色紗裙，婀娜體態若隱若現。

絕色女子赤著玉足，走到我的面前，秀眉微蹙，嬌嗔道：「不知公子來臨舍下，有何貴幹？」

此時我已魂離九天，茫然地看著眼前這絕世佳人，待她問了數遍，才能稍微鎮定，說道：「我來這兒是……是找妲己的……」我心神一亂，竟毫不隱瞞就將目的透露出來。

卻見女子抿嘴嬌笑，當真是風華絕代，一雙秋水般的妙目，對我稍稍打量後，便即膩聲淺笑，道：「賤妾，正是妲己！」

第六章 —— 誘人成魔

第六章　誘人成魔

眼前佳人竟是尋覓已久的妲己，這一驚雖是非同小可，倒使我清醒了幾分。

我連忙低下頭，盡量收攝心神，沉聲說道：「晚輩失態了，還望前輩見諒！」

只聽妲己嬌笑一聲，當真是清脆若銀玲，嗔道：「公子幹麼不正眼看賤妾？難道公子嫌棄賤妾容貌醜陋嗎？」

說罷，竟微微矮下身子，雙眼含笑的凝視著我。

我冷不防會和她目光相接，趕忙躍後三米，才一站定，已感到血氣沸騰，心臟劇跳不停。

我心下暗驚，她尚未喚出魔瞳，已有如斯魅力非凡，若再加上「銷魂之瞳」，我勢必心跳過劇而死。

想念及此，我連忙閉上雙眼，只靠耳朵來辨別她的行動，以防被其美貌所惑。

「公子不要再在那兒呆站了，請打開雙眼，賤妾已經沒用媚術。」妲己笑道，語氣中媚蕩蝕骨之感果然大減。

我小心翼翼地睜開雙眼，卻仍然不敢正視著她，只好把頭別過，道：「前輩不要見怪，只因前輩花容實在傾國傾城，我定力不夠，再看下去定會失禮。」

「公子見笑。賤妾可不捨得公子站在那邊跟賤妾說話。累了公子，賤妾心下過意不去。」妲己掩嘴一笑，絲毫沒責怪之意，「不若賤妾先回寢室，公子安坐門外，有了一房之隔，看不到賤妾陋貌，這樣可使公子放心說話吧？」

一語方畢，也不待我答應，我便聽見背後風聲微響，想是妲己已回去睡房。

我這時才敢抬起頭，發覺小女孩正抬著一張木椅，準備放在房間的門旁。

我見狀走過去幫手，卻見小女孩看著我，臉上神色似笑非笑。

我對她笑道：「對不起，剛才把你誤認作你媽媽，還對你多番冒犯。」

女孩搖搖頭，沒有責怪之色，反而神情大是興奮，說道：「大哥哥你很厲害呢，一直以來我都沒見過有人能夠抵擋媽媽的媚術！很多臭男人才聽到媽媽的聲音便神魂顛倒，支持不住了，想不到你卻能保持清醒跟她說話！」

我微微一笑，被她這樣一讚，剛才被迷惑失態的尷尬，登時消去不少。

「煙兒，不要纏著人家，來娘這兒。」妲己在房中叫喚女孩。

小女孩煙兒向我笑道：「大哥哥，待會才跟你談吧。」說罷便一溜煙的走進睡房中。

「不知賤妾能否得知公子的名號？」

我剛坐下，妲己的聲音便從房中傳出來，雖已不如先前般動人心魄，但仍是清脆悅耳。

「晚輩，畢永諾。」我恭敬地道。

妲己細聲將我的名字唸了一遍後，便即問道：「不知公子是如何尋到此處呢？」

「前輩可有印象，約在兩星期前，旺角發生了一宗妓女在旅館給人肢解的血案？」我問道。

「賤妾記得。報章上血淋淋的照片，可謂印象深刻。」沉默片刻，妲己又問道：「這案子是魔鬼幹的嗎？」

「不，那兇手只是一個普通人。」

「嗯……人類兇狠，有時候比咱們更適合『魔鬼』這稱號。」妲己淡淡的道，「抱歉把說話打斷了，請公子繼續。」

「其實我已知血案背後動機。那妓女被殺是因為殺手向她拷問你的下落不遂，才會遷怒於她。」

「賤妾的下落？」妲己疑惑的問道：「嗯，那歹徒定是受人指使，公子知不知主使者的身分？」

「我的同伴說，指使者是七君之一的羅弗冠。」我試探性的問道：「前輩，你認識他嗎？」

「曾有數面之緣，但沒深交。想不到他也會有找賤妾的一天。」妲己笑了一聲，續道：「賤妾倒是想不通，究竟他們從何得知賤妾來了香港隱居，還知道我倆用以掩人耳目的假身分？」

「這一層晚輩都不甚清楚，因為我們當找到殺那妓女的兇手時，他已經給人滅口。」

「那之前的消息……是依靠『追憶之瞳』嗎？」妲己問道。

「正是。我和我的同伴得到消息後，便立即四出尋訪前輩的下落，可是找了十數天還沒有結果，我們還以為羅弗寇已經找到前輩。」我笑了笑道：「幸好我的運氣還算不錯，今天總算尋到前輩居處。」

「賤妾看公子樣貌俊俏，福緣的確不差。」妲己笑罷，又問道：「那羅弗冦不擇手段地要尋到賤妾的目的，不知跟公子到訪，是否原因相同呢？」

「晚輩也不知羅弗冦為甚麼要找前輩，但我這番到來，是因為危機將至，我想請前輩出山，助我一臂之力。」我誠懇地說道。

「甚麼危機？」妲己問道。

我深深吸了一口氣，沉重的說道：「第三次天使大戰，亦即末日降臨！」

妲己聽後，「嚶」的驚呼一聲，復又默然不語。

我沒有追問下去，雙耳卻聽得她心跳加劇甚多，周遭氣氛亦一下子變得沉重異常。

妲己修行數千年，想來心境早已靜如止水，但聽到這消息後，心還是跳個不停，可見她此刻是何等驚訝。

我們三人一直沒有作聲，就這般維持沉默。

過了良久，才聽得妲己緩緩問道：「何時會來？」

「詳細日期我不清楚，但綜觀現今世界，天災人禍，日益增多，可想而知末日來臨之期不遠。」

我說道。

「就算末日真的來了，咱們又能幹甚麼呢？」妲己輕輕嘆息。

「匯聚群魔，奮力一戰，阻止地球被毀！」我堅定地說道。

集合群魔之力去對抗天使大軍，就是一直以來我跟拉哈伯到處流浪，找尋其他魔鬼的原因。

雖然在世人眼中，魔鬼都是邪惡的象徵，但許多時候魔鬼們都是為了生存，才逼不得已要傷害人類。

而且魔鬼在人間植根多年，對他們來說這小星球還是他們的家，要是被毀了，他們也得滅亡。

妲己聽到後沉默半晌，問道：「這番話是誰跟公子說的？」

「我師父，周景淵，還有拉哈伯。」我說道：「不過，想來前輩該未曾聽過我師父的名頭。」

其實周景淵是師父的別名，可是他生前吩咐過，不可隨便對人提及他真正身分，因此我就瞞而不說。

「賤妾孤陋寡聞，的確是頭一趟聽見尊師的名號。」妲己說道：「不過……拉哈伯？是七君之一的拉哈伯嗎？」

「正是他。」

「若然大戰真的爆發了，光是那恆河沙數的天使已經讓咱們吃不消。」又是沉默半晌，妲己才淒然苦笑，道：「何況這次，那天上唯一，更會帶領天使大軍下凡。撒旦已死，魔界七君又各懷鬼胎，如此四分五裂，咱們又如何抗之？」

「不，我們並非沒有勝算。拉哈伯說，他已經打探到其中一件神器的消息！」我握緊拳頭地說：「只要找到神器，便自然能吸引魔鬼們加入。那時候我們不會再是一盤沙子，也有了和天上唯一談判的籌碼！」

「敢問公子，你們已知道那神器的位置了嗎？」妲己冷冷的問道。

「我們……還未知道，但我們一定能把它找出來。」我堅定的說，卻不禁洩了些底氣。

「即便找到了拉哈伯口中那件，沒有另外十一具神器，咱們又怎能威脅天上唯一？」妲己詞鋒銳利，咄咄逼人。

我默然一會，失落地說道：「不能。」

「公子，非賤妾不想一盡綿力，只不過咱們實在是氣數已盡。」又隔了半晌，才聽到妲己在房中輕嘆一聲，說道：「這個地方早已沒有未來，咱們又何必要螳臂擋車，妄圖苟延殘喘呢？」

妲己說到後來，聲音已經溫柔如初。

「我們不嘗試，又怎知結果！或者天上那位早在創世時耗盡力量，至今尚未恢復呢？假若他像二次天使大戰時那樣沒有插手，我們還是有勝算的啊！」我激動地說道。

妲己聞言沒有回話，又再靜默下來。

我暗怪自己語氣激動，但方才所說的都是心中之言，只盼望她能被我說動，回心轉意。

過了一會兒，妲己終於再次開口。

「賤妾不過是一介婦人，活了這些年，以往天天強顏歡笑的日子，早已使賤妾心力交瘁。現在，賤妾只想安安樂樂的過度餘生，抱歉不能為公子效勞。還望公子大志得成，所盼景象終能來到。」妲己聲音仍舊清脆，可語氣甚是堅定：「天色已晚，煙兒，安送公子離開吧！」

聽她說得如此決絕，我也不好再繼續勸說，只得無奈嘆了一聲。

這時，只見煙兒從房中走了出來，雙眼含淚，神色淒然，看來是被我們剛才的對話嚇倒。

我站了起來，拍拍她的肩膀稍作安慰，誰不知這卻惹得她伏在我胸口上哭了起來。

「大哥哥，世界末日是不是真要來喇？」只聽得她邊哭邊道：「我還不想死！我還有很多事情想做，很多地方要去！」

「不用哭，你不是說大哥哥與別不同嗎？我另外還有一位貓朋友，可比我厲害百倍！」聽見她哭得淒涼，我心中雖略感傷痛，也只得強笑道：「只要我們出馬，甚麼神器還不輕易找到，那時不會讓地球，這麼輕易被消滅！」

煙兒明知道我在撒謊，但聽見我那樣說，心情也稍為平伏，於是低聲啜泣道：「大哥哥你可要加油啊！不然我會施媚術迷住你，卻不讓你碰我身子，慾火焚身而死！」

說罷，她自己忍不住嬌笑一下，但隨即面紅，似乎幻想到那曖昧的畫面。

我笑道：「放心吧，大哥哥跟你一樣，還有很多目標，可不捨得就這般被慾火燒死。」

這時候，房內的妲己再一次輕嘆，打斷我二人對話，「煙兒，別要再纏住公子了，公子貴人事忙，你這丫頭可不要阻礙人家大事。」

煙兒不敢有違，於是將我帶到門口，說道：「大哥哥，你千萬別要放棄啊！煙兒第一眼看到大哥哥時，就知你與眾不同，我信你終能成功！」

說罷便勾勾手指，示意有話要跟我小聲密語。

我身子向她稍微靠近，卻想不到煙兒突然在我臉上親了一下！

我急忙拉直身子，臉紅耳赤，煙兒見狀卻哈哈大笑。

此時，只聽得妲己在房中喚了煙兒一聲，煙兒這才笑道：「再見了大哥哥，你要加油啊！」說罷便轉身離去。

我卻拉住了她的小手，感激地說道：「謝謝你，煙兒。」

煙兒向我嫣然一笑後，便把木門關上。

我嘆了口氣，懷著失望的心情下樓。

想不到妲己是尋到了，卻不能把勸使她加入我們。

現在只好期望拉哈伯親至，利用他提及過的妙計，打動妲己。

幸好剛才離去之前，來得及拉住煙兒的手，在她掌中飛快地劃下自己的手電號碼。

瞧那她對我的態度，我想應該不至於失去她們的蹤影。

才下樓，我便想起拉哈伯仍在旺角追查魔氣來源，辨明方向後，便立即打開魔瞳趕去。

由於妲己居於離旺角不太遠的深水埗，所以我才跑了一會，便即進入旺角範圍。

雖然已是晚上八時，但旺角的街頭仍然是車水馬龍，處處是人，要找到拉哈伯也不容易。

「可惜我不懂貓語，不然就能問那些野貓，拉哈伯去了哪裡。」我心下暗想。

苦無良策下，我只好將魔氣稍稍提升，希望拉哈伯能感應得到。

幸好，才提升少許，我便感受到拉哈伯的魔氣，在不遠處散發。

闔上魔瞳後，我連忙沿著剛才的氣息尋去，最後發現拉哈伯的魔氣散發處，是一座商場的頂層。

我乘搭升降機而上，在升降機中看到通告，知道頂樓正在維修，不禁暗自猜測拉哈伯待在那兒的原因。

來到頂樓時，升降機的鐵門還未完全打開，一股濃烈的血腥氣味卻已撲鼻而至。

眼前是一整層空置的商場，所有店舖都鎖了門窗，一片幽暗，只有街上投來的七彩燈光，能讓人勉強視物。

商場中央，有四個人正倒臥在血泊之中，我凝神細聽，只得其中一人還有心跳。

「你還真遲。」

拉哈伯不知何時已經站在我的肩頭上。

「因為我已找到妲己了。」我說道，「在她那兒，花了點時間。」

「噢，是嗎？」拉哈伯淡然地道。

「幹麼你好像不太興奮的樣子？」我奇道。

「你找到了她，但還未說服她出山吧？」拉哈伯問道。

「對……她說已經厭倦了當魔鬼的生活，只想靜靜的跟女兒生活。」我說道：「看來，還真的要你親自去勸說她。」

「嗯？你說她有女兒？」拉哈伯臉色微現驚訝。

「也不知是不是親女兒，因為那小女孩的樣貌，不及她媽媽的百分之一。」我說道。

「呵呵，看來你這小子剛剛給妲己迷得神魂顛倒呢。」拉哈伯狡詐的笑道。

被拉哈伯說中心事的我不禁熱耳根發熱，連忙帶過話題，問道：「對了，這幾個人為甚麼會受這般重傷，被魔鬼襲擊嗎？」

「不是魔鬼，只是一個帶有魔氣的凡人。」拉哈伯道。

每種生物，體內天生也會有一股「氣」，這股氣或正或負，而我們一般稱負氣作「魔氣」。凡人擁有魔氣，一般是因為天生邪惡過人，或是與魔鬼長期接觸，受其影響令體內的氣變成魔氣。

身上帶有魔氣者，亦代表能夠擁有魔瞳，因為魔瞳依靠魔氣運作，所以凡人必須要身上擁有一定份量的魔氣，才能與魔瞳結合，像我就是其中一個天生邪氣十足的人。

要是體內擁有的魔氣不夠，在裝上魔瞳時，就很大可能會被魔瞳吸光體內的氣而死。

「那個身負魔氣的人已經走了嗎？」我一邊問，一邊走到唯一一個生還但奄奄一息的傷者身旁。想要觀察他的傷口時，我赫然發現他竟是那位兩星期前、懷孕妻子被殺的警察！

「擁有魔氣的人就是他啊。」拉哈伯在我肩上說道。

「竟然是他？」我略為詫異，隨即淡然說道：「不過他真是不幸，妻子剛被射殺不久，現在就輪到他身受重傷，不過這也好，免得獨自在世上牽腸掛肚。」

「不，他不會死的。」拉哈伯說道。

我微感奇怪，眼看這男人傷勢嚴重，實在命不久矣，可是我一轉念便已明白拉哈伯的意思。

「你要用『血契』，賣命給他？」我問道。

由於魔鬼一般儲存的壽命較多，有時候會利用一部分生命能量與垂死或病重的人作交易。

「只說對了一半，假若單單要為他續命，我剛才在你來到之前已經做了。我的意思是，我們不但把命賣給他，而且還要將『追憶之瞳』給他。」拉哈伯慎重地說道。

「把『追憶之瞳』也給了他？」我訝異地問道。

「反正你不能過分運用魔氣，與其將打開魔瞳的次數分散給『追憶之瞳』，倒不如集中力量在你熟練的『鏡花之瞳』之上。」拉哈伯道：「再說，多找一名同伴也是好事，何況我看得出他的資質頗好。你沒異議吧？」

「嗯，反正你說的都對。」我不在乎地說，又看了倒臥在地上呻吟的男警一眼。

「好了，別再拖拖拉拉。若他斷氣了，我們可沒耶穌那令人起死回生之能。」拉哈伯催促道。

我也不再多言，運氣打開「追憶之瞳」，周遭的血腥味立時變得條理分明。

此時，拉哈伯忽地從我肩膀跳下，說：「好了，這未來同伴就交給你。我得去找妲己，不然讓她換了居所，我們可要從頭再找。」

「放心，你事情辦好後就在附近的賓館找我吧。」我說道。

拉哈伯「嗯」了一聲，便頭也不回的離去。

待拉哈伯走後，我便即輕聲呼喚那重傷瀕危的警察。

叫了好幾聲，他才雙目微張，氣若游絲的應了一下。

「喂，你還聽到我的話吧？」我輕拍他的臉，只聽他勉強「嗯」了一聲。

「好，長話短說，現在有一個機會可以讓你痊癒，但從今以後你將不再是普通人，你願意嗎？」我問道，接著把頭稍微低下，好方便聽他說話。

隔了半晌，卻聽得他氣若游絲的說：「不……不要救我，你……讓我……死吧。」

「為甚麼？因為你妻子死了，所以你不想獨活？」我問道。

「嗯……」他氣虛力弱，語氣卻甚為堅定。

正當我在想如何勸說時，忽然留意到他頸上正掛著一條沾了血的十字架項鍊。

「你相信這世上有上帝，人死後會上天堂嗎？」

男警沉默半晌，才勉力點頭。

「那麼，你覺得你妻子在天堂中看到你現在的情況，她會想你活下去，還是就此死去？」我問道，雖然這種勸導方式很過氣。

「我……不知道……」男警無力的說。

我坐了在他身旁，嘆了一聲，然後仰頭道：「你還要為你妻子報仇吧？」

男警沒有回答，聽到我提及「報仇」二字，卻開始喘息。

「說句實話，我不知道天堂是不是真的存在，而此刻天上唯一又有沒有在遠方看著我們。不過，我只知道，世上有很多慘劇，不該發生。」我誠懇的道：「好像你那未出世的寶寶，還未見過孕育他的父母，便被兇徒殺死，這樣子公平嗎？你的美好家庭，也因為兩發子彈給破壞了，而那兇手也許在我們背後繼續作惡，你希望他逍遙法外嗎？」

男子氣虛力弱的啜泣，呼吸漸漸變得急促。

「我的師父曾跟我說：『一個人能活下去，就千萬別要想去死。』」我正眼看著他，溫和地說：「接受我的條件吧，把兇手揪出來，別讓他再去害人，以慰你死去的妻兒在天之靈！」

想起師父，我的心情也變得更為沉重。

「嗯……嗯！」男子忍著哭，激動地點頭。

看見勸告成效，我心下欣然，對著他笑了一下，然後說道：「好吧，我先把命賣給你，不然待會你接受魔瞳，便會立時精力枯竭而死。嗯……就十年的命吧！條件，是當我十年的同伴！」

說罷，我咬破指頭皮膚，擠出一滴鮮血，掉在他身上傷口。

「如果你接受我的條件，說一聲『成交』就可以。」我說道。

「成……交。」他小聲說道。

我跟著說了一遍，突然之間，我身上有一股能量倏地消失，正是轉送到他身上的十年生命能量。

得到了額外壽命的他，身體雖然還是傷痕累累，但氣息已不再凌亂，漸見暢順。

「好了，這下你暫保性命，現在我將這隻『追憶之瞳』也給了你，好等你的傷口可以回復過來。」我指了指瞳色血紅的右眼，道：「待會兒會有點痛，我先把你弄昏吧。」

見他微微肯首，我便屈指在他太陽穴一彈，所含力道剛好使他昏厥又不致受傷。

趁他昏迷過去，我迅速撥開他的眼皮，挖下他的左眼，然後又將自己的「追憶之瞳」挖出來，塞入他的左眼眼眶。

接著，我吞下了他的眼球，緊閉著空空如也的右眼眼洞，同時打開左眼「鏡花之瞳」，好讓右眼早些重生。

魔瞳的功用之一就是快速再生，只要傷勢不是傷及魔瞳本身以及腦袋，即便肢體分離，魔瞳都能使之復原，而條件是要補充傷口所需要的物質。

至於將他那顆普通眼睛吃下，則算是補充失去一眼的養分。

換眼的動作在片刻之間已經完成，看見一切順利，我也舒一口氣。

得到魔瞳，變成魔鬼後，那男警的傷口便即以肉眼可見的速度復原。

我將他扶起搭在肩上，正準備離去時，突然之間，我感到有四股殺氣，正隨著升降機上來。

我剛走到升降機前，只聽得「叮」的一聲，鐵門便已打開。

但見升降機內，站著四名身穿黑衣的光頭壯漢，全都神色兇惡地瞪著我。

「小子，束手就擒吧。」其中一名壯漢冷漠說道。

我嘆了口氣，心想剛救了一人性命，想不到轉眼就要殺幾人來維持世界平衡。

壯漢看我沒有後退，反而抱著男警走進升降機中，不禁一愕，隨即變得勃然大怒。

「束手就擒的是你們才對……不，反正我是想殺了你們，而不是活捉。」我漠視怒氣沖沖的他，只是自顧自的說道：「好吧，從現在開始，我會倒數十秒，如果十秒之後，有多於一人生還的話，你們就全都要死。」

說罷，我便再不理會他們，只是伸手按下升降機的鍵。

「臭……」另一名壯漢才說了一個字，左手便莫名其妙地拿著一條軟綿濕潤的東西。

那壯漢低頭一看，發現掌中正握住自己的舌頭。

「十……九……八……」我看著四人驚駭不已的表情，邪笑著倒數。

升降機轉眼便回到地面，門再次打開時，升降機內已佈滿血肉，角落也躺了三具不再囂張的屍首。

我扶著男警，離開大廈，身後則多了一名，雙手染滿鮮血的俘虜。

人類，有時候為了求生，真的可以在瞬間退化，變回野獸。

第七章——虛無縹緲

第七章 虛無縹緲

我躺在賓館的沙發上，窗外霓虹輕輕灑在我的身子，恰似一張七色薄紗。

我側頭看看房內牀上的新同伴，再抬頭看看掛鐘，心想他也差不多會醒過來。

想到今後將有新同伴，我心裡不期然有一點興奮。

或許是因為男警跟我一樣，都是由人類變成魔鬼的緣故，而且我們歲數相近，這跟拉哈伯的相處，又會是另一種感覺。

我走過牀邊，看到他雖渾身血跡斑斑，但身體一切狀況正常，也略感安心。

過不多時，果然見他微微張開眼睛。

稍微確認了自己仍然在生後，他便虛弱地問道：「這兒是哪？」

「桃園仙境，旺角的一家賓館。」我笑道，順手把茶几上早已準備好的燒味飯遞給他，「你已昏迷七個多小時了，現在很餓是吧？」

雖然飯盒早已冷掉，但男警此刻飢火大盛，接過飯盒後，他便即狼吞虎嚥地吃起來。

我指了指桌上堆積如山的食物，說道：「這些都是替你準備的，你儘管吃吧。」

他先前所受的傷勢頗為嚴重，回復過程中所耗的能量甚多，所以現在需要進食大量食物來補充。男警感激地看了我一眼，然後便將一塊烤番薯塞入口中。我看著他的食相，只是微笑不語。

不久，桌上的食物已被他一掃而空。

飽餐過後，男警便即坐直身子，誠懇說道：「謝謝你的救命之恩。」

「別客氣，不過是舉手之勞。」我笑了笑，道：「我叫畢永諾，你呢？」

「我叫鄭子誠，今年二十四歲。」男警恭敬的說道：「是一名高級督察。」

「說起來你只是比我年長四歲，別那麼拘謹吧！」我笑說：「你瀕死遇到我，便說明你命不該絕。更何況我把命賣給你，你也得當我的同伴十年，所以只是一場公平交易罷了。」

卻見鄭子誠搖頭說道：「你不單勸我不要尋死，又將我從重傷中救回來，這一點我十分清楚。大恩大德，沒齒難忘！」

說罷，他竟躬身道謝！

我連忙扶起他，笑道：「別這樣子，其實這是因為我急需伙伴，而你又正好身有邪氣，所以我才把魔瞳給了你，好讓你的傷勢復原。」

「邪氣？魔瞳？」鄭子誠一臉疑惑。

我微微一笑，把椅子移到他面前坐下來，然後扼要解說一下。

不過，聽著我的說明，鄭子誠的神情變得越來越錯愕，到了最後，更張大了嘴，臉無血色。

待我把話說完後，又過了良久，才聽得他緩緩呼了一口氣，問道：「你的意思是，我現在是一頭魔鬼？」

「不錯。」我笑道。

鄭子誠大聲高呼：「不！我不能當魔鬼！」

一語未畢，便已伸手想將自己的左眼挖出來！

我連忙按住了他，皺眉問道：「你想幹甚麼？」

只見鄭子誠語氣激動地說：「把眼睛挖出來，我不要當魔鬼！我不要！」

鄭子誠的反應我倒是此料不及，我原先以為帶有邪氣的人，都會像我那般不抗拒當魔鬼。

我把他按回牀上，勸說道：「你先冷靜點，你不要這隻眼睛的話，怎能為你妻子報仇？」

鄭子誠聽到我提及他的妻子，態度稍微軟化下來，但口中仍繼續喃喃道：「不……我絕對不能當魔鬼，我絕對不能下地獄！下了地獄，我怎能再見若濡？」

說著說著，他竟掩面而哭，淚水一發不可收拾。

我聽他哭得傷心，正想出言安慰時，忽然聽得一道聲音，在我耳邊響起：「小諾，用魔瞳騙他。」

我一聽便知是拉哈伯利用傳音入密說話，該是剛從妲己處回來。

我還沒來得及反應，窗口忽有黑影一閃，接著拉哈伯已經安坐牀上。

他用尾巴戳了戳鄭子誠的背，說道：「小伙子，你夫人雖然死了，但並沒有上天堂呢。」

鄭子誠泣聲稍止，轉身一看，卻發現背後說話者，竟是一頭黑貓，不禁呆在當場。

「這……這貓兒，在說話嗎？」鄭子誠指著拉哈伯，一臉難以置信。

「甚麼貓兒不貓兒，我可是頭老魔鬼！」拉哈伯看著子誠，瞇眼笑道：「我叫拉哈伯。」

「拉……哈伯？」鄭子誠叫道，臉上仍是滿佈疑惑。

「嗯，很好，我們以後可是同伴了。」拉哈伯笑道。

鄭子誠聽到後，立即揮手，堅決的道：「不，我不要當魔鬼！」

「為甚麼？你害怕上不到天堂，不能再見你妻子嗎？」拉哈伯綠油油的貓眼凝視著他，問道。

鄭子誠點了點頭，見拉哈伯卻隨即放聲大笑，便忍不住臉色一沉，怒道：「你笑甚麼？」

拉哈伯搖頭微笑，說道：「說甚麼天堂，那不過是騙人的玩意罷了！」

拉哈伯此話一出，不但使鄭子誠感到錯愕，連我也大惑不解。

據我所知「天堂」確實存在，但跟宗教神話裡形容的無憂極樂不同，「天堂」不過是一具浩大的靈魂容器。

人死後剩餘的能量，就是所謂的靈魂。靈魂分為正負兩類，正靈魂全都會被吸收在「天堂」之中，而負靈魂則會被吸收到另一個靈魂容器「地獄」裡。

偶爾有些漏網之靈遺留人間，給一些觸覺異常敏銳的人看見了，就是凡人所說的「見鬼」。

「天堂」的正確位置、外表和建立目的，從來沒人知道，它的傳說卻是遠古開始，通過魔鬼口中流傳下來，但它的存在又是無可置疑。

這些話都是拉哈伯以前跟我提及過的，但現在他又聲稱「天堂」不存在，倒使我糊塗了。

拉哈伯似是看出我心裡的疑惑，於是用傳音入密跟我說道：「小諾，我在騙他，我之前跟你說的，才是實話。」

雖然想不通為甚麼拉哈伯要騙鄭子誠，但我還是默不作聲，只是輕擦鼻子。

輕擦鼻子，是我和拉哈伯早約定的動作，這動作表示我聽得見他的傳音入密。

「沒有天堂？我不相信。」鄭子誠搖頭道。

「我可是活了數千年的魔鬼，騙你這傻小子有甚麼好處？」拉哈伯搖著長尾巴說道：「跟你說了，人死後的確會有靈魂離開肉身，但這些靈魂只是些殘餘能量，一般只會飄浮一段時間，便即魂飛魄散。不過，有些靈魂卻會留在人間流連。」

鄭子誠聽到拉哈伯的話後，神色一震，慌忙問道：「你說有些會逗留人間？那……我的妻子會是其中之一嗎？」

「你的妻子嘛……」拉哈伯說著，暗暗對我打了個眼色，而這時我已明白拉哈伯的意圖。

若果我沒猜錯，拉哈伯是想我利用「鏡花之瞳」令鄭子誠產生幻覺，看到他妻子的亡靈，從而勸誘他不要捨棄魔鬼的身分。

果不期然，只聽得拉哈伯續道：「……她含冤而死，留在人間的機會很大。不若你先給我看看她的照片，好讓我留意一下。」

鄭子誠聽後連忙拿出錢包，打開遞到拉哈伯面前。只見錢包夾層中，果然有他和妻子相擁的合相中二人舉止溫馨甜蜜，任何人一看便能感受到他們夫妻間的恩愛。

照片中的鄭子誠精神爽朗，和現在失魄落魄的樣子大相逕庭，看來他妻子的離去，實在對他打擊很大。

鄭子誠看著合照，似乎想到十數日前愛妻還在，現下卻陰陽相隔，悲從中來，不禁再次嗚咽啜泣。

我看在眼裡，甚感同情，當下也不再猶豫，看清楚他妻子的容貌後，便運動魔氣把「鏡花之瞳」打開，然後假裝驚訝地說：「噫？子誠！你妻子的靈魂就在你旁邊啊！」

子誠聽後，神色立時緊張起來，東張西望的尋他妻子蹤影，口中叫道：「若濡，若濡！你真的在這兒嗎？你可知道我想你想得多苦嗎？若濡！」

我見他一臉焦急，便拉著他說道：「你先冷靜下來，一般人是沒那麼容易看見靈魂的，但你現在有了魔瞳，便可以利用它看見你妻子了。你就先打開魔瞳吧。」

子誠轉過頭看著我，急忙問道：「怎樣才能打開？」

趁著他看過來的一瞬間，我已經進入了子誠的思想，將他妻子靈魂出現的幻覺，設定妥當。

「你先別急。來，把心情放鬆。」我微微一笑，道：「像我先前跟你說的一樣，魔瞳需要負面情緒或邪念來喚醒。你先闔上左眼，然後試想一些會令你憤怒或悲傷的事情，只要你感覺到左眼球在震動，那就表示魔瞳已甦醒。到時候你只管眼睛打開就行。」

子誠聽到我的話後，果即依言深呼吸一下，然後把左眼閉上，不過才闔眼數秒，他便再次打開了左眼打開。

原本深棕的瞳色，此刻卻已變得鮮紅如血。

「這小子可是復仇心切呢。」拉哈伯小聲說道，我點頭表示讚同。

子誠打開「追憶之瞳」後，便急不及待四周環顧，才轉向左邊，他便發覺一名女子身穿白色素服，坐在身旁。

女子周遭矇矓一片，彷彿身處迷霧之中；她臉帶微笑，神色溫柔地看著子誠，正是他的亡妻若濡。

「若濡……若濡！」

觸。

能再見愛侶，子誠的心情激動不已，伸手想把她抱著，可是若濡卻向後一退，搖頭示意不可接

「你不能碰到她的。」我提醒道。

子誠朝我點一點頭，然後便柔情地看著虛假的靈魂，哭了起來。

「我們先離開一會兒吧。」我輕聲說道，接著便和拉哈伯轉身離開房間。

經過四年訓練，我利用「鏡花之瞳」所產生的幻覺已是千變萬化，幻覺還能因應不同狀況自動作出適當反應，所以該不會露出破綻。

離開房間後，拉哈問道：「你有命令幻覺去勸導他繼續當魔鬼吧？」

「嗯，那幻覺會跟他說以後每個月只能出現一次，而子誠他需要打開魔瞳才能看見鬼魂。」我點點頭，說：「我想，他為了能每月看到妻子，一定不會捨棄魔瞳。」

拉哈伯說道：「這一來問題便解決了。」

「對了，你去了那麼久才回，是遇上阻滯嗎？」我算了一下，拉哈伯可是離開了整整七小時。

拉哈伯鼻子噴了噴氣，傲然道：「阻滯？開玩笑！我不過是跟妲己談得久了而已。」

我調侃道：「嘿，難道你見到妲己後色心大起，留下跟她溫存一番？」

拉哈伯「刷」的一聲，用尾巴鞭了我手臂一下，冷冷說道：「我定力可比你這小色鬼高百倍

呢！」

拉哈伯這一記抽擊可疼痛得很，我手臂熱辣辣的很不好受。

「說笑罷了，真小器！總有一天我會將你的臭貓毛通通拔掉！」我伸手撫摸手臂痛處，怒哼一聲，又續問：「那你有勸服她嗎？」

我看他在妲己處逗留了這麼久，還以為他已成功拉攏，誰知拉哈伯卻搖頭說道：「沒有啊。」

我呆了一呆，問道：「連你的妙計都不管用嗎？」

「妙計成功與否，還要多等七天，因為她說要考慮一個星期。一星期後，她自會來尋上。」拉哈伯頓了一頓後，續道：「還有一事。妲己提到，在我到達前，曾有十名黑衣人硬闖她居所，想把她抓走。」

聽到是黑衣人，我連忙問道：「那些黑衣人是不是全都是光頭的？」

見拉哈伯點了點頭，我便把方才離開商場時，遇見四名黑衣人的事情跟拉哈伯說。

拉哈伯聽後沉思半晌，這才說道：「我猜想這些黑衣人都是羅弗寇的手下，難怪十數天來，都沒了他尋找妲己的消息，原來是想假借我們之手找到她。」

我聽後疑惑問道：「可是他們從何得知我們的行蹤？而且他們又為甚麼要對鄭子誠下手？」

「妲己跟我說你曾在她住處釋放過魔氣，而後來我為了引導你來找我，又在商場的頂層散發魔氣。」拉哈伯低頭想了想，道：「很有可能，羅佛寇手上持有一些能探測魔氣的儀器，而商場中那四名黑衣人的目標，應該是我。」

「很有可能。」我點頭表示同意後，又問道：「那妲己面對那十名壯漢能安然無恙吧？」

「這個當然，就算是千軍萬馬，妲己都不會放在眼內。她只不過略施媚術，嬌柔地拋下一句，『賤妾的牀只能多容納一人。』，便轉身進了房間。」拉哈伯冷笑一聲，「接著，那十名壯漢為爭奪入房的資格，便在大廳中自相殘殺，全都死光。」

「傾國傾城，真是厲害！」我由衷讚道。

「現下她行蹤敗露，定會另覓新居，希望她一星期後會守信來訪。」拉哈伯搖著尾巴，嘆息一聲。

就在此時，房間的大門突然打開，只見鄭子誠滿臉淚痕的站在門口，想是幻覺已消失了。

「你還好吧？」我溫言問道。

「嗯，我沒事。謝謝你們，若不是你們先前出手相救，我不單早已死了，還會再見不到若濡！」鄭子誠擦了擦眼淚，道：「剛才若濡的話使我想通了，將事情跟警局交代好後，我便會辭職。雖不知你們為甚麼選我作同伴，但無論如何我都會跟隨你們，請以後多多照顧！」

說罷，他便向我和拉哈伯微微躬身。

我把他扶正後，笑道：「不要再客氣了，我們以後可是同伴呢。」

鄭子誠點點頭，我看到他渾身是血，便說：「不如你先去洗澡，出來後才跟我們說整件事情的來龍去脈。浴室的箱子有我的替換衣物，先穿上吧。」

子誠自知身上污穢不堪，早感到不太舒服，於是便轉身走進浴室。

可是甫進浴室，便聽得他大喝一聲：「你是誰！」

我和拉哈伯立時走了進去，卻見地上躺著一個渾身不斷抽搐的光頭黑衣人，雙眼反白，口吐白沫，正是先前在商場升降機中殺死三名同伴的生還者。

我笑道：「別慌，他是我捉回來的俘虜，我一時把他忘了。」

說罷，我便將光頭俘虜從浴室中提出來。子誠雖感疑惑，但也沒多問，轉身便關上木門。

待浴室的門關上後，我便拍拍那俘虜的臉頰，但拍了好幾下，他始終沒有反應。

我嘆了一口氣，便將熱水壺中的沸水，一下子全都倒在他身上。

俘虜身上立時蒸汽迷漫，不消片刻，他便「哇」的一聲大叫，痛醒過來。

這俘虜先前在升降機中痛下殺手，三秒內殺光其他同伴，所以我便依言留他一命，讓他跟著我當俘虜。

「追憶之瞳」雖已給了子誠，但短時間內他難以運用自如，所以我便故意留一活口，好用來打聽消息。

光頭漢起初嘴硬得很，任我對他諸般折磨，始終不肯招供。無可奈何下，我只好利用「鏡花之瞳」，使他產生幻覺，回到恐龍稱霸的白堊紀時代。

在那幻覺之中，他身處古代森林，不斷被各種恐龍追殺。

我故意給他一點喘息的機會，但只要心神稍懈，殘暴的恐龍便會出奇不意的現身襲擊。

由於那是幻覺，即使他身上被恐龍咬得支離破碎，終究是不會死掉，但那被恐龍撕咬的痛楚，卻是真實之極。

本來這種程度的幻覺，一般人早已痛得休克，但我看得出這光頭漢曾接受過特殊的精神力訓練，因此便將幻覺調節得剛使他感到痛苦萬分，又不致崩塌的狀態。

我身子稍靠向他，拍拍他那張惶恐的臉，笑問：「那些恐龍可愛嗎？這可是一般人夢寐以求的經歷，你想不想再作一次奇妙之旅？」

光頭俘虜急忙挪後身子，臉現慘痛神色，連忙搖著渾圓的光頭，揮著各缺三指的雙手，道：「不……不要，請你放過我吧！我甚麼都說、甚麼都說！」

我點頭笑道：「你應該慶幸沒有一早就範，不然就錯過這次與恐龍親熱的珍貴機會了。」

光頭俘虜胡亂的點頭應是，看著我的眼神依然畏懼無比。

我見狀一樂，哈哈大笑罷，才認真問道：「是誰指派你們來的？」

光頭俘虜戰戰兢兢地說：「我……我們舵主。」

「舵主？你們舵主是誰？」

「羅虎。」光頭俘虜說了一個人名。

見我臉色疑惑，光頭漢頓了一頓，才小聲續道：「其實，真正下命令的應該是我們教主，舵主只不過是傳遞給我們。」

「你的組織是？」我皺眉問道。

「撒……撒旦教。」光頭俘虜聲音依舊微弱，但說到「撒旦教」三字時，他眼神和語氣，隱隱透露出一種狂熱的驕傲。

「哼，這下子可有趣了。」

本來坐在一旁默言不語的拉哈伯，忽然冷冷一笑。

第八章——天使大戰

第八章 天使大戰

「撒旦教，不就是一個欺世盜名的組織嗎？何來有趣？」我以幾不可聞的聲音問拉哈伯。

拉哈伯用尾巴向光頭俘虜指了指，同時以傳音入密說道：「揭起他的上衣，看看他左肋處是不是有一個刺青？」

我吩咐光頭俘虜脫掉上衣，只見在他被沸水灼得火紅的皮膚上，果真繡了一個黑色標記。

標記由一大一小兩個圓形和一顆五芒星組成。

但見大圓形居外，中央五芒星的角與其相接，而星的中心又有一小圓。

這五芒星跟一般所見的星型擺法相反，即是兩角向上三角向下。

我仔細觀察片刻，問道：「這標誌又是甚麼來頭？」

「這是代表撒旦的標記：外圓代表地球，倒五芒星代表撒旦，因為星星向上的兩角，就是撒旦雙角的象徵，而星形中的小圓就是魔瞳。」拉哈伯解釋道。

「原來如此。」我恍然大悟。

「使用這標誌的撒旦教，跟那些凡人所設立的玩意不相同。」拉哈伯說道：「凡人所知道的撒旦教，其實不一定是崇拜撒旦，只不過他們離經背道，和世人作對，便以撒旦為號。」

「那這個真正的撒旦教呢？」我問道：「是撒旦創立的嗎？」

「恰恰相反。」拉哈伯臉色一沉，語含恨意，「創立撒旦教者，乃是殺死撒旦的兇手！」

我聞言一愕，追問了幾句，拉哈伯才淡然說道：「等那小子出來，我才跟你們詳加說明。」

光頭俘虜見我突然不發一語，但臉上表情反覆，似乎以為我在盤算別的毒計，不敢作聲，只是縮作一團顫抖。

我見狀拍了拍他的肩膀笑道：「不要怕啊，我不會吃人，只會殺人，但如果你乖乖合作，我就不會亂開殺戒。」光頭俘虜聽後，只是不住點頭。

「你們撒旦教是崇拜撒旦的？」我問道，光頭俘虜點了點頭。

「那你們豈不是打家劫舍，無惡不作？」

「撒旦教也有自己的規矩，不會讓教眾胡作非為。不過，我們撒旦教講求的是面對和釋放自己的人性慾念。我們最大規條，就是不能無理禁制自己的念頭。」話題一牽涉到「撒旦教」，光頭俘虜又鎮定下來。

「可是你們會殺人啊。」我笑道。

「我們殺人，事必有因，像是有人出言悔辱我、或阻止我們宣傳正道，我們才會把那些無可救藥的蠢材毀滅。」光頭俘虜義正詞嚴的說道。

「你們殺人，不怕下地獄嗎？」我繼續笑問。

「地獄乃我主統領之域，我主會以身體作地，讓我們教眾能踏著我主的聖體，在火海中絲毫無損。」談及地獄，光頭俘虜立時正容道：「只要誠心相信我主，我主就會無私獻出身軀讓世人踐踏，避過業火。只有那些不聽我們勸導的罪人，才需飽受業火煎熬！我們這次行動早得教主批准，所以自然無罪。」

我微笑搖頭，想不到這撒旦教的中心思想，倒跟基督教如出一轍。

這時，只聽見浴室裡傳出水龍頭關掉的聲音，不一會兒，子誠已換過一身乾淨衣服走出來。跟虛假的愛妻亡魂傾訴過後，子誠的精神顯然飽滿得多，眉宇間也重新透露出精明幹練的神氣。他看到坐在地上的光頭俘虜後，突然一把揪起他，怒聲喝道：「說！我妻子是不是你同黨所殺的？」

光頭俘虜被我精神折磨後，原本兇巴巴的神氣早蕩然無存，這時被子誠揪起威嚇，只結結巴巴的道：「我……甚麼也不知道，我接到……接到的命令只是要將一名青年或者黑貓，不論死活都捉回去。」

聽到他的話，我已經肯定他們的目標就是我和拉哈伯。

子誠還想再問，卻忽然轉頭看著拉哈伯，臉上微現驚訝之色。接著，只見他強忍怒氣，慢慢將光頭俘虜放回地上。

我看在眼裡，明白是拉哈伯利用傳音入密勸子誠冷靜。

接下來，我又審問光頭俘虜關於撒旦教的事情，可惜他職位低微，所知不甚詳盡，最有用的資訊，就只有撒旦教香港分部的位置。

反覆查問了幾回，確定他真的和盤托出後，我便跟子誠說道：「你還記得我曾跟你說過，打開魔瞳需要大量能量嗎？」

子誠點頭說道：「我記得，你還說過，計算下來，我應該只剩下七天性命。」

「對，為了生存下去，」我指了指光頭俘虜，「吸收他的壽命吧。」

光頭俘虜聽著我們的對話，雖然不太明白，可是最後兩句他還是懂的。

「不要殺我，請不要殺我！」他一臉驚慌，跪著求饒，說道：「你不是說過我把知道的全都說出來就放過我嗎？」

看來經過我的幻覺折磨，光頭俘虜起初的倔強硬朗已完全消失。

我笑道：「對啊，現在我不是要殺你，只是要你分一些性命出來。你曾殺三人，現在只取你人生中的幾年壽命，不算過分啊。」

光頭俘虜只是不住叩頭，口中求饒。

我還想繼續威嚇，子誠卻忽然說道：「放過他吧。」

我不禁愣住，隨即皺眉道：「你只有一星期的性命，不吸收的話可會死掉的。」

卻見子誠搖搖頭，說：「我另找一名壞人好了。他已經很可憐，放過他吧。」

「但他也是壞人，他曾殺過三人呢，那三人還是他的同伴。」我說道。

「我看他這副模樣，早已後悔莫及。」子誠一邊扶起光頭漢，一邊說：「我們就給他一次改過的機會吧。」

我皺起眉頭，正要出言再勸時，忽心生一計。

「好吧，就依你所言，放他走好了。」我攤攤手，故作無可奈何的說道：「但為免他再為匪作歹，你要跟他訂下『血契』，如果從今以後他稍動殺心，便得將性命盡數轉送給你。」

子誠想了想，似乎覺得此計尚算可行，便點頭說道：「好吧，就依你。我該怎樣和他立約？」

「就像我把命賣給你時那樣子，將你倆的血混在一起，然後說出條件，如果雙方同意，血契便行。」

「明白。」子誠便咬破指頭，然後將血滴在光頭俘虜的傷口中。

血水混和後，子誠便提出剛才的條約。光頭俘虜聽到我們放他一命，自然沒口子的答應，似乎沒將血契的內容當真。

待一切事成，我們便放他離去，臨走之前，子誠還重重的告誡他一番。

光頭漢連番答應，然後便如箭般逃走。

我看在眼裡暗覺好笑，這時，拉哈伯忽以傳音入密問道：「小諾，你在弄甚麼玄虛？」

我小聲道：「你趕快到窗邊，然後吩咐一隻貓兒在他面前走過。」

拉哈伯不明所以，但還是跳到窗邊，輕輕「喵」的叫了一聲。

我也跟著來到窗前，只見此時光頭漢正沿著後巷離開。

剛才拉哈伯叫了一聲後，一隻原本待在後港陰暗處的野貓，低沉地應了一聲。

接著，那野貓便不徐不疾的在光頭漢面前走過。

這時，我朝光頭漢大喊一聲，他聞聲回頭，見我微笑揮手，便強擠出笑容，然後頭也不會地離開。

光頭漢轉身時，那野貓正好站在他面前，不過他見狀沒甚反應，只繼續加快步速。

可是，才多走數步，他忽地停下，笑容滿臉的回頭看著那野貓兒。

拉哈伯見狀，「咦」的一聲，顯然也對光頭漢的舉動大感出奇。

卻見光頭漢對野貓打量片刻，忽然提起右腳，似是要將野貓踏死！

不過，他的右腳一提高，便再也放不下來，因為就在那一剎，光頭漢已動了殺心。

按照「血契」內容，他已經將壽命，盡數轉給子誠了。

「這到底是甚麼一回事？」拉哈伯皺眉小聲問道。

「剛才我大聲呼喊，引他回頭時，其實已利用『鏡花之瞳』入侵他的思想，製造幻象。在他的視覺中，野貓的外貌已變得跟你有八成相似。」我笑說：「我斷定他為了不被責罰，必定會將那黑貓捉回去交差，混水摸魚。而為免那冒牌貓洩露底細，他一定會先將牠弄死。這一來，殺心動了，他便得遵守血契內容，將命送給子誠。」

拉哈伯聽到我的解釋後，不禁點頭讚妙。

這時候卻見子誠低下頭，不住在自己身上摸來摸去，疑惑道：「怎麼突然間精力充沛似的？」

我看著一臉大惑不解的他，笑問：「就像我賣命給你那時的感覺嗎？」

「正是！」子誠抬頭說道。

「看來那光頭已經死了。」我搖頭嘆息，故作無奈。

「他……他怎麼會突然死了？他不是才剛離開嗎？」子誠驚訝道。

「看來他離去不久，不知何故，又動殺心，違反了『血契』的條約。」拉哈伯從窗台上跳下，怪聲怪氣的邪笑道：「不然，他的生命能量不會轉嫁到你身上。」

子誠嘆了口氣，搖頭道：「唉，明明已給他一條生路，讓他重新改過，為甚麼還要妄動殺機呢？」

拉哈伯一躍上牀，輕晃著尾巴說道：「這種人死不足惜，我們也別再討論他。」

我見子誠還在婉惜，便拍拍他的肩，笑道：「不要為他覺得傷心，反正他回到組織，也要接受一番慘絕人寰的酷刑，這樣子死去倒是種解脫。」

子誠聽後稍為釋然，嘆道：「也許吧。」

說話時，我已搬來兩張椅子到牀前，讓我和子誠分別坐下去聽拉哈伯的話。

我先簡單介紹一下拉哈伯的來歷。當子誠得知拉哈伯不單是頭千年老魔鬼，更是撒旦的七大手下後，嘴巴早已驚訝得合不上攏。

「以後你還會遇上更多稀奇古怪，顛覆認知的事。你慢慢便會習慣了。」拉哈伯見怪不怪，陰側側的笑了一聲後，便繼續道：「子誠，不如你先說為甚麼會在商場受傷吧。」

子誠點點頭，坐正身子後，便將整件事的來龍去脈說出來。

「自從若濡去世，我便過著行屍走肉的日子。」子誠嘆了一聲，道：「雖想揪出兇手，可是我苦無頭緒，因為若濡在清晨被殺，那時街道上沒有一個目擊者，而槍殺她的子彈型號都是特製，完全查探不到來源。」

子誠神色黯然，卻不知當時我和拉哈伯在賓館上目擊了事件的一半。

「上司看我失魂落魄的，便讓我留薪停職休息。只是若濡的死實在太過突然，我一人呆在家裡，擁有她的段段回憶便會不其然地浮現腦中。」子誠抱著頭，痛苦地道：「有時看著一張張合照，想起我們新婚不久，兒子又快將出世，卻忽然失去一切，我的眼淚便會流過不停。一哭，就是一整天！」

看到他心情再次激動，我便拍了拍他的肩以示安慰。

「我傷心欲絕，只好借酒消愁。直到昨天，我正喝得爛醉時，手電忽然響起。」子誠稍微拭去眼水，續道：「我接了電話，只聽得對方說道：『如果你想知道殺你妻子的兇手身分，明天六時，來兆萬商場的頂樓！』接著，便即掛線。我好生奇怪，雖查不到致電者是誰，但我手中毫無線索，於是便依言赴會。」

聽見他說到要緊關頭，我和拉哈伯相顧一眼，也都留神起來。

「我來到約定的地方不久，忽然有三名光頭黑衣人從升降機中出現，殺氣沖沖的向我衝過來！我見對方陣勢，便立時醒悟這是陷阱，但退路已給他們擋住，只好奮力反抗。」子誠搖頭苦笑，道：「可惜我孤身力弱，很快便不敵被擒。奇怪的是他們沒立時殺死我，只是不停在我身上搜來搜去。」

「那他們有搜到甚麼嗎？」我問道。

「沒有。」子誠搖搖頭。

我想了想後，說：「嗯，你繼續吧。」

「他們搜索不果後，便冷然對我說道：『真是廢物，難怪連自己妻子也保護不了，甚至連殺妻兇手的身分，也懵然不知。』，然後又說了一些難聽的話。聽到他們辱及若濡，我自然悲憤填膺，但在這時，奇怪的事情卻發生了。」說到這兒，子誠看著雙手，一臉不解的道：「不知怎地，我雙手竟生出一道怪力，掙脫開束縛，然後瘋狂地毆打那三名光頭漢！」

「我理智盡喪，腦海只有一股聲音在徘徊，說：『殺了他們，殺了他們！』，驅使我不住把拳頭往他們身上送！很快，我已活活打死了其中二人，餘下一名亦已奄奄一息。」子誠回憶著，聲音仍隱含恨意，「當我想作個了結時，忽然聽得一下槍聲，卻是我被他暗藏的手槍，擊中胸口。直到那刻，我終於支持不住，負傷倒地。接著的事，你們都知道了。」

「你忽然失去理智，變得力大無窮，其實是因為身上魔氣作祟。」待子誠把話說完後，拉哈伯才淡然解釋：「每人體內皆有一股氣，這氣或正或邪，像你這般身懷邪氣的人，要是情緒過於激動，就會有失控的危機。昨天，我也是因為你失控時散發的魔氣，才找上了你。」

「我明白了」子誠頓了頓，問道：「那三個被我殺掉的光頭漢，就是撒旦教的教眾嗎？」

「顯然易見。」拉哈伯點點頭。

這時候，我忍不住插嘴道：「老貓，你就快點跟我們說一說這撒旦教吧。」

拉哈伯瞪了我一眼，說道：「我正要說，但在這之前，我想子誠該要先理解一下歷史的真相。」

「又是這些東西。」我一臉沒趣的攤手，道：「好吧，你便慢慢跟他說。」

說罷，我便閉目養神起來。

「你聽過聖經對吧？」拉哈伯向子誠問道：

「雖然我還未受洗，但我和妻子皆是基督徒。」子誠說。

「嗯，那我跟你說，其實所謂聖經，內容十之八七都是假的。」

「這……這怎麼可能？聖經不是神的話語嗎？」子誠驚訝的道。

「為甚麼不可能？其實聖經的確記載了小部分的真實歷史，但更多是凡人自己虛構出來，用以箝制古代人民思想的神話故事。這一點，和其他教派神話無異。」拉哈伯冷笑一聲，「說聖經是天上那位在背後編寫的就更是好笑。只要認真看看新舊約，便能發現當中所描寫的神，性格根本前後不一，而且那些所謂神的話語，也充滿矛盾。」

子誠默不作聲，顯然還是不他相信拉哈伯的說話。

「那邊的書桌放著一本聖經，過去把它拿過來。」拉哈伯吩咐道。子誠應了一聲，便伸手取過聖經。

「其實聖經的矛盾多如恆河沙數，因為那不過是凡人所編著的故事書，只是世人愚笨，將它視作金科玉律，對錯誤之處視若無睹。」這時，只聽得拉哈伯說道：「你看看『創世記』首兩章，自會發現矛盾之處。」

子誠好一陣子沒有說話，看來是在細心閱讀。

忽然聽他「啊」的一聲，說道：「這……這可能是傳譯時的錯誤吧？」

其實拉哈伯所說的矛盾，是指聖經記載人類誕生的時間。

在「創世記」第一章中，是先有各種植物，然後天上唯一將人類創造出來為萬物的統治者。但根據第二章記載，天上唯一創造人類後，才用雨水滋潤野土，生成各種植物。

這時拉哈伯冷笑道：「如果聖經背後真由天上唯一所書，他在翻譯中又怎會容得下這種錯誤？何況我曾讀過最古老的希伯來文聖經，也是存在相同的矛盾。」

沉思了好一會兒，子誠才苦笑道：「好吧，反正你沒有欺騙我的理由。」

「我跟你說，是希望你能不再對所謂的經典，執迷不悟。那書中記載的某些事情人物是確實存在過，不過我們現在的重點不在那裡，那些容後再談。」拉哈伯頓了一頓，這才淡然問道：「你聽過天使之戰嗎？」

看到子誠搖頭表，拉哈伯便繼續道：「天使大戰，即是天使與魔鬼的戰爭。自創世以來，世上曾爆發過兩次天使大戰；第一次戰事發生於創世不久，大天使撒旦不理天上唯一之命，引誘夏娃偷吃禁果，最終天上唯一發現後，將其逐出天堂。」

子誠「噢」的一聲，道：「這個我知道，聖經曾提及過。」

「但接下來的可是聖經沒有記載。撒旦的身分本來非比尋常，除了是位階最高的大天使之一，他更是被喻為『最接近神的人』。」拉哈伯正容說道：「可是不知何故，他忽然違抗天上唯一的命令，引誘那兩名人類偷吃禁果，最終便被天上唯一懲罰。撒旦深深不忿，憑著個人魅力以及在天堂的名聲，吸引了大班追隨者，遂率領三分一的天使，趁天上唯一創世後元氣大傷，先發制人，和餘下三分二的天使展開一場持續三天的激戰。」

「由於撒旦所招攬的天使平均實力較高，所以在戰爭初期佔盡上風。可是在戰爭快將結束之際，天上唯一已休息三天，精神稍復，便即出手將撒旦擊至重傷。撒旦軍群魔無首，立時士氣銳減。天使軍便乘勢反擊，盡數擒住撒旦餘軍，交由天上唯一發落。」拉哈伯嘆了一聲，道：「天上唯一最後決定將所有撒旦追隨者的雙翼折斷。沒了翅膀的天使，不能再逗留天國於是天上唯一便將他們驅逐到凡間。祂不單廢除他們『永生』的資格，使他們有了壽命，更奪去他們天使的稱號。自那以後，這群墮天使都有一個新稱呼——『魔鬼』。」

拉哈伯說罷，忽然幽幽地嘆息一聲。

每次談及這這段歷史，拉哈伯也會感慨萬千，默言良久，才能把話接下去。

似乎那種被放棄的悲傷，過了千萬年後，仍然深刻在牠心底。

於是，我便睜開眼睛，坐正身子，向子誠說道：「接下來由我繼續吧。」

子誠點了點頭。我看他神色裡帶有同情，看來也察覺到拉哈伯的悲傷。

我拍了拍他的肩，向他微笑示意不用擔心。

「其實撒旦真正叛變的原因從來無人得知，眾魔只以為他是不甘臣服於人類，所以才會響應加入。後來群魔被貶下凡，本應為眾魔之首的撒旦卻深居簡出，鮮少參與人間活動，只是指派了七名得力手下，亦即魔界七君，控制著魔鬼的捕食情況。這群被遺棄的墮落天使便潛伏在人間各處，或潛伏凡人之間、或擁兵自立為王，又故意引發無數戰爭疫病，以吃食人類們的負面情緒。這情況一直維持到光之子，耶穌基督降臨才被打破。」我接著說道：「其實，耶穌降世除了傳頌所謂福音，真正目的就是率領天使，重主人間。」

「那撒旦呢？他仍是不見蹤影嗎？」子誠問道。

「不，在耶穌降臨的時候，撒旦再次出世，率領仍然在世的魔鬼向天使軍作出反擊。」我搖頭說道：「雖然天使軍的人數遠多於魔鬼軍，但其時人間已非當初樂土，魔鬼們長期生活在環境惡劣的地上，所經歷的磨練，不是在天上養尊處優的天使們可比擬。那些本為天使的魔鬼，本身實力強橫，又在凡間生活多年，所以單論戰鬥力，魔鬼軍其實遠遠抛離天使軍。」

說到這兒，我看著子誠凝重的道：「但那一戰最關鍵的一點，就是天上唯一不知何故，沒有干預。如此一來，縱然天使軍人數較多，但魔鬼軍戰力較強，雙方勢均力敵，交戰下來兩軍皆損失慘重。」

「光是想像，已能感覺到當中的慘烈。」子誠嘆道。

「不錯。這場戰爭一直維持了二十五年，即是耶穌成年後在地上生活的那段時間。」我說道：

「二次天使大戰比第一次實為激烈得多。兩軍交鋒，血流成河，不論是天使軍或魔鬼軍皆元氣大耗，直至雙方主將一死一傷，第二次天使大戰這才結束。」

「最後到底是誰死誰生？」子誠連忙追問。

聖經裡本記載耶穌已死，但在三天後復活，可是現在子誠似乎已明白到聖經沒記錄歷史真相。

「耶穌，沒有死去。」我猜到他的心意，微微一笑，道：「死去的，乃是地獄之皇撒旦。至於耶穌則因為身受重傷，沒再留在人間，回到天國治療。」

「慢著，你不是說天國不存在嗎？」子誠疑心頓起。

「天國跟天堂不同，天國是天上唯一和天使的居所，人類死後的靈魂並不會移到那兒。」我解釋道。

據拉哈伯所言，天國是一個實質存在的地方，第一代魔鬼就是在那兒出生；而天堂只是一個靈魂容器，更是一個沒人能證實的傳說。

子誠點頭表示理解，但神情還帶著疑惑。顯然，這個歷史真相跟他所認知的相差太多，一時間難以完全接受。

這時，我對著想得出神的拉哈伯說：「好了老貓，我已經把他要知的都說完，你也應該告訴我們撒旦教的事吧？」說罷，便伸手想推拉哈伯一下。

拉哈伯在我的手碰到他之前，已經揮尾巴擋開，罵道：「行了，不用動手動腳。」我笑了笑，也不反駁。

拉哈伯思索了一會後，說道：「其實撒旦教的出現，是在第二次天使大戰之後。」

子誠聽後驚訝道：「那時撒旦不是已死了嗎？」

「對，那時撒旦的確死了，可是正因為他的死，一個早懷私心的魔鬼便乘機奪取他的名號，自稱撒旦，成立撒旦教，召集其他魔鬼和引誘世人加入。那偽撒旦對人類懷恨在心，認為如果不是人類，他便不會被折翼墮落凡間。」拉哈伯恨恨的道：「他吸收人類教眾，只不過當他們是食糧。這撒旦教無孔不入，很多歷史上的大戰或屠殺都是由他們引發，因為那位偽撒旦認為，人類是低等生物，可以任意殘殺。而撒旦教發展二千年，至今已滲透世界每一個角落。」

「這偽撒旦到底是誰？」我問道。

「說來諷刺，他其實是其中一名七君。」拉哈伯說到這兒，語氣恨兒更深，「那名魔鬼，名叫薩麥爾！」

「這個我知道。」子誠忽然插話：「薩麥爾，是不是有十二羽翼的墮落天使。」

「就是他了。」拉哈伯點頭說道：「薩麥爾本來有十二片羽翼，速度實是天使界第一人，但後來盡給天上唯一所折斷。」

「難怪他會對人類懷恨在心。」子誠嘆道。

「一恨，就到現在。」拉哈伯頓了一頓，道：「薩麥爾到眼下應該仍是撒旦教教主，但他追殺你和殺掉你妻子的原因，我就猜不透了。」

子誠無奈地嘆道：「這一點我也不明白，可惜若濡說她剛死不久，記憶仍然模糊，不然我們就可以抓到那兇手。」

甚麼記憶模糊，只是我故意讓那幻象跟子誠說的藉口，於是我便乘機笑道：「本來的確要等到你妻子稍微清醒，才可知那兇手容貌。但現在卻有一個更快方法，可以看你妻子死前記憶。」

子誠聞言立時跳了起來，緊張的追問：「甚麼方法？」

我指著他的左眼，笑道：「就是你的魔瞳。」

第九章——獨闖敵陣

第九章 獨闖敵陣

位於南區的淺水灣，有著香港難得一見的美好沙灘。

這裡的沙灘水清沙幼，附近建築物和人口相對市區較少，屬於富裕地區。恬靜舒適的環境，使之四處散發著其他地區所沒有的優閒氣氛。

這天晚上，涼風輕拂，雲淡星稀。

在淺水灣主灘以東數里半山上，有一座私人別墅，數十輛名貴房車停泊在大門外的空地中，無數保鏢正護送他們的主人，進入這座金碧輝煌的房子。

客人全都盛裝出席，步行入內途中更不時與四周的人熟絡地打招呼，看來相互間早已認識。

眾人來到偌大的水晶門前，就得拿出請柬給門衛過目，看到門衛點點頭，客人方可進去。

至於賓客的私人保鏢都得留下，目送自己的主人離去後，然後依照指示，四處站崗守備。

這場神秘的宴會，正是撒旦教香港分部的每月聚會。

撒旦教教眾甚多，而且廣泛分佈在不同階級層面。參加這次聚會的教眾都是職位較高的一群，當中不乏城中名人，所以附近地方，早已被清理的一乾二淨，沒有任何閒雜人等。

當然，我是例外。

我獨自站在遠方隱蔽處，靜靜地看著那些教眾魚貫入場，暗自慶幸守衛雖算森嚴，但還難不倒我。

眼看賓客大半進場，我乘附近的警備不覺，不徐不疾地走近大門。

「先生，請柬。」一名光頭黑衣守衛在門口攔下了我，冷冷的道。

我笑了笑，先將墨鏡脫下，然後將剛才在空地撿到的宣傳單張交給他。

守衛接過後細細看了一遍，然後便將他眼中的「請柬」遞回給我，點頭說道：「請進。」

我對他微笑點頭，重新戴回墨鏡，順道關上魔瞳。

剛跨進大門，便見到數名大漢拿著金屬探測器走過來，示意要我舉手接受檢查。

我一臉微笑，高舉雙手，任憑他們的探測器在我身上遊走。

探測器一直安靜，過不多時，他們確定我身上沒有危險物品，便讓我進去。

我心下暗暗好笑，心忖我本人就是最危險的武器，可惜他們的儀器，絕對測不出來。

我隨著人群走過燈火通明的走廊，盡頭是一扇古式木門。

推門入內，便見到大廳中正早已站了百來人。

廳中燈光明亮如晝，整個大廳都沒有設置坐位，只有一張張放滿小吃飲品的高身小桌。眾人捧著酒杯，圍成一個又一個的圓形，小聲交談，眼光不時投向通向二樓的弧形長梯。看來這別墅的主人，撒旦教香港分舵主，將要從那兒下來。

我拿過一杯飲料後，便走到一幽暗處靜立，目光偶爾掃視四周。

看著手中酒杯泛起的紅色漣漪，我心中想起正在接受拉哈伯訓練的子誠。

「不知他能否熬過那苛刻的訓練呢？」我心中暗道，把紅酒一飲而盡。

上次從光頭俘虜的口中得知，撒旦教香港教眾這天會在淺水灣舉行例行聚會。拉哈伯推測，在一連串教眾被殺後，他們這次集會必定會商討這件事。據那俘虜所言，若涉及重大行動，當地分舵舵主都會先上報教主，待教主認可後才能執行。至於撒旦教教主所吩咐的事，一般也會在會議中交代。

「小諾，這次你盡可能跟薩麥爾直接對話。」出發前拉哈伯吩咐道：「你知道要說些甚麼吧？」

「自然知道。」我聞言笑問：「要不要我替你傳個口訊？」

拉哈伯語帶恨意地回道：「不用！」

一直以來，每當拉哈伯談及薩麥爾，語氣總透露不少恨意。初時向他問起因由，拉哈伯總是將話題帶開。

後來旁敲側擊地追問下，我才知道拉哈伯和撒旦私下交情甚好，而撒旦在二次天使大戰中，正是因為薩麥爾才會死去。

雖然拉哈伯沒有說清楚究竟薩麥爾幹了甚麼，但打從得知他二次天戰之後，擅自利用撒旦的名號行事，我便大概了解到拉哈伯的恨意。

若非末日將至，大事為重，我相信拉哈伯死也不會和薩麥爾再次洽談。

「那麼這次只有我去，不帶上子誠嗎？這可是一次難得的實戰機會。」我回頭看看正在練習召喚魔瞳的子誠。

「不用了，他連魔瞳也未能召喚自如，還是待在這兒，給我訓練一下吧。」拉哈伯搖搖尾巴，「時間緊迫，我可要利用他的復仇心，使他快速成長。」

我們看著努力練習的子誠，只見他對著鏡子不停眨著左眼。

雖然每眨眼十多次，瞳色才會變得鮮紅，而將魔瞳喚醒後又要多眨十數次才能變回普通的瞳色，但子誠才得到魔瞳數天，拉哈伯說這已算是不錯的進度。

我看著他堅定不移的神色，在鏡中倒影向他微笑，以作鼓勵。

子誠感激地點了點頭後，便即繼續練習。

所以，到了最後，這次行動我只能單獨應付。

我和他們約定七天後相見，這一週內子誠會跟隨拉哈伯訓練，而我則需要混入撒旦教的例行聚會，問清楚薩麥爾尋找群魔的目的。

在我沉思期間，教眾們已經不知不覺間到齊了。

大廳此刻站了二百多人，大家談笑甚歡，神色較先前大為興奮。

過了一會兒，四周忽然傳來一陣高亢詭異的樂聲，原本明亮的燈光也變得昏暗陰沉。

各人聞聲肅立，抬頭看著二樓，臉上神情認真但又難掩興奮之色。

過不多時，一名身穿黑色西裝的男子，在四名彪形大漢護送下，在二樓階梯出現，正是撒旦教的香港分舵舵主，羅虎。

羅虎身材不高，但體格甚是健壯，把衣服都穿得脹鼓鼓的，看起來渾身是勁。

他臉上神色和諧，聽著旁邊的保鏢向他細聲報告，不住點頭。

羅虎和顏悅色的笑著和教眾揮手，教眾也立時熱烈地回應。

過了一會兒，他突然揮一揮手，高昂的音樂忽變得低沉，樂曲中妖魅感突然大增，教眾的神情也漸漸變得迷茫無神。

這樂曲甚為古怪，顯然用以迷惑人心，但曲中誘人之感，跟妲己甚至煙兒的媚術相去甚遠，所以即便沒有打開魔瞳，我仍能保持心神堅定。

但見羅虎閉上眼睛，雙手合十，其他教眾便跟隨著他的動作，安靜地低頭合掌。

我見狀亦只好跟隨，幸好我戴有墨鏡，因此便可偷偷觀察其他人的舉動。

待所有人都安靜下來後，羅虎便即高聲朗誦讚美撒旦的禱文，經中文句和聖經等宗教典籍一樣，卑微肉麻，聽得我一陣毛骨悚然。

如此禱告了十來分鐘，羅虎又帶領教眾歌唱一段詩歌。

不懂他們經文詩詞的我，只好口中喃喃，矇混過去。

歌唱聖詩時，一眾教徒不分男女都興奮得手舞足蹈，毫無儀態。

有些更是感動得涕淚俱下，跪在地上難以平伏。

看著他們如痴如醉，若瘋若癲，卻不知自己所崇拜的根本是不會保護他們的偽撒旦，我心下只感可笑。

一直讚頌了整整一個小時，羅虎終於再次揮手，讓音樂停止。其餘教眾都收拾心情，安靜地站在原位。

羅虎微笑點頭，向著大廳裡的教眾掃視一眼後，朗聲說道：「各位弟兄，各位姊妹，感謝我主，賜給我們一個美好的晚上，讓我們能在此處舉行聚會，一同讚美我主，一同分享這一個月來的喜愁！」

說畢，一樓的教眾又是一陣讚頌之聲。

又一揮手，羅虎忽然臉色一轉，神情認真，「可是今天的集體分享，要暫停一次。因為我收到了一個不幸的消息，要告訴各位。」一語方休，樓下的教眾已交頭接耳起來。

「或許有些弟兄姐妹已經率先知道：這一個月來，我們有十多名光明使在執行任務時，均被人以殘暴的手法殺死！」羅虎不徐不疾的說道。

此言一出，眾人立時嘩然，更有激動者，高聲咒罵。

我故作激動，同時猜想羅虎口中的光明使，便是那些光頭黑衣人。

此時，羅虎又再揮手，讓教眾稍微靜下來，才繼續發言，但此時他語氣變得嚴厲。

「這次十多名光明使的任務，乃是教主直接指派，用意是宣揚我教真義，勸服世人加入我教，接受我主救贖！」羅虎又朝教眾掃視一眼，冷冷的說：「但這些愚蠢的罪人，不但不接受我主的救恩，還將我們的好心惡意踐踏！這簡直是對我主的悔辱！」

說到這兒，羅虎的目光往場內一掃，最後竟然停留在我身上！

我心中一動，立時明白到他已經發現了我的身分，只不知他是如何察覺。

雖然身分被人點破，但我依然鎮定，向著羅虎微微一笑，打算先看看他的反應，再作行動。

羅虎朝我瞪視，冷冷的說：「各位弟兄姊妹，敢代表我主問一句，遇到這種人，我們應該如何處理？」

「殺！」

「將其碎屍萬段！」

「不！不能讓他那麼快死去！要先讓他餓上三天，然後一刀一刀的割掉他的肉，每割一刀便灑一點鹽。」

人人都爭相提出意見，無一不殘忍惡毒，聽得我不禁搖頭苦笑。

這時不少教眾已注意到，羅虎的目光一直停留在我身上，紛紛轉過頭來，面對著我。

「各位兄弟姊妹，今天，就有一個殘殺本教光明使的兇手，站在我們之間！他來到此處，目的就是想打擊我主威權，襲擊我們！幸好我主慈悲，先行通知了我，以免再有無辜教眾受到傷害！」說罷，羅虎遙指著我，怒聲吼道：「敢代表我主問大家一句，你們要如何對付這不義愚昧之人！」

聽到舵主的吼聲，所有人齊心一致的呼叫：「殺！了！他！」說罷，一眾教徒便突然各自從自己的手包或口袋中，取出各式槍械，朝我發射！

我見狀啞然失笑，同時趁眾人還未扣下機板，先行推翻一張長方桌子，矮身躲在其後。

我才躲好，無數槍聲已在我身後轟然響起！

砰砰砰砰砰砰砰砰！

數之不盡的子彈，毫不間歇的射在我身後桌子上。

在這關頭，我忽然醒悟，先前的武器探測檢查，就是我身分被識破的關鍵，因為此刻在場的人，手上皆拿著槍械，唯獨是我反而手無寸鐵。

「想不到我身上毫無武器，才是與別不同。」我心中暗罵一聲，「這撒旦教，真是古怪之極！」

雖然桌子用鋼鐵做成，但桌身太過單薄，不消一會，已被射得千瘡百孔，我幾乎便要被射中。

「喂！那十幾個黑衣人，我一個都沒有動手殺呢！」我縮身在長桌後笑罵道：「我頂多是嚇唬他們，讓他們自相殘殺而已，怎能全怪在我頭上？」

眾人沒對我多加理會，只是口中不停口喊著「我主慈悲！」等等頌詞，手中槍火不絕，一步步地向我進逼，顯然要置我於死地。

「可惡！」我拾起散落地上的銀製餐具，也不抬頭，反手隨便用力飛向教眾。

由於教眾人數甚多，所以我擲出的餐具例不虛發，每發必中一人，但他們始終人數眾多，擊傷了十多人，依舊是阻擋不了步步逼進的人群。

「羅虎，你趕快命令他們停手！」我終於按捺不住，大聲說道：「不然待會你被流彈擊中，可別怪我！」

不過，羅虎聞言冷笑一聲後，反而大聲煽動教眾：「大家快點擊斃這罪人！我主得知大家的英勇，事後必有重賞！」

各人聽到舵主鼓勵，更射得更加兇猛。

「嘿，既然如此，我也沒必要再手下留情！」我冷笑一聲。

早在閃進長桌背後時，我已順手拾過一塊用來擺放酒杯的銀盆，放在身邊。

銀盆打造精緻，表面光滑如鏡。

正好，能反射我的目光！

這時，我將銀盆拋到半空，拋上去時運了巧勁，使之滯空片刻。

眾人沒想到我會突然拋起銀盆，目光自然而然的往它瞧，而這正是我所期望的情況！

此刻眾人目光，都集中在如鏡的銀盆上，而打開了「鏡花之瞳」的我，抬頭看了銀盆一眼，便同時和所有人接觸，並入侵他們的思想領域！

雖然折視會令魔瞳的瞳術威力大減，但向二百多名普通人施展幻術，對我來說還是綽綽有餘。

銀盆掉回地上，激起清脆聲響的同時，眾人的視覺，已稍稍出現變化。

這時，我站直身子，有條不紊的拍拍身上灰塵，可是所有教眾的槍頭，早已不是指向著我，反是瞄準他們的舵主羅虎！

只因，在他們的視覺當中，剛才「我」已經沿著梯子，跑上二樓，並脅持著「羅虎」！

「你……你們在幹麼？」羅虎驚訝地問，四名保鏢見勢頭不對，連忙擋在他身前。

「嘿，我早吩咐你讓他們停止攻擊。」我向他笑道：「但既然舵主你聽不進耳，就感受一下教眾們對你的『熱情』吧！」

說罷，我便打了一個響指。

響指聲起，所有教眾的幻覺中，皆看見「我」將「羅虎」推下樓梯。

看到「羅虎」受襲，眾人當然怒不可遏，不過「羅虎」既已遠離了「我」，滾落樓梯，眾人自然殺意大起，再一次扣下槍板！

霎時之間，無數子彈朝著他們幻覺中的「我」，現實中的羅虎，激射而去！

羅虎身前四名保鏢還未來得及反應，瞬間被射成蜂窩！

眼見情勢突然逆轉，羅虎立時拔腿轉身就跑！

他慌忙而逃，可是教眾們群情洶湧，已沿著弧形長梯，追殺上來。

他不敢回頭，一直拼命地跑，好不容易跑到二樓盡頭的書房，一進去便連忙轉身，把門關好並牢牢鎖上。

「嘿，這大門是特殊合金所製，火力再大都難損它分毫。」

羅虎抹去額上汗珠，沾沾自喜地說，絲毫沒理會門外的怒吼嘶叫。

他坐在書桌前，將書房四周的防護機關都啟動後，原本緊張的神情，終於稍微鎮定下來。

這時，只見羅虎將右側第二個抽屜輕輕一拉，本來放在桌面上的一本聖經，竟突然自動翻開。

但見聖經打開，原來一個小小的電腦螢幕。

羅虎在隱藏抽屜中的鍵盤按下密碼後，便憂心沖沖的看著前方螢幕。

不過，電腦屏幕還沒顯示任何影像，羅虎的臉色忽地變得煞白。

因為，他在漆黑的屏幕倒影中，看到我的笑臉，浮現在他左肩上！

羅虎驚呼一聲，嚇得跳了起來，想要反抗，卻被我一手按倒在地。

其實，剛剛他轉身逃跑時，我已悄悄跟在他後面。

由於打開了「鏡花之瞳」，我身手靈活百倍，所以一直跟他來到書房中，羅虎也始終沒有察覺。

「你……究竟想幹甚麼？」羅虎強自鎮定，看著我說：「萬事有商量！」

「嘿，商量？本來我想和你好好的談，但你卻一心置我於死地，現在是談不成了。」我邪笑一聲，順手將他的肩膀「喀嚓」扭斷，撕下整條左臂，「我最惱別人不聽我的話，這一條手臂，算是小小懲罰吧！」

斷臂的痛楚，意外的沒令羅虎痛呼喊出來，他只是臉無血色，滿頭是汗，我看在眼裡倒有點佩服。

「你究竟是誰……你可知和我們撒旦教作對，會有甚麼下場？」羅虎強忍痛楚，問道。

「嘿，我的身分你不必知道。至於和你們作對的下場，我也沒有興趣。」我坐上本是屬於他的椅子，笑道：「你現在只需做一件事，就是替我聯絡你們教主。」

「不行！我主尊貴無比，豈是你這種凡人隨便可見？」羅虎一口拒絕。

「嘿，你似乎是個忠心教徒。」我看著他的右臂，微微笑道：「但我不是一個有耐性的人，要是見不到你教主，我怕這條手臂難保啊！」

羅虎聽到我的恐嚇，也是一驚，但默言片刻，最終還是堅決的道：「你今天就是拔光我的四肢，我也不會就範！」

「好一條硬漢。」我冷笑一聲，正想再出手時，眼光卻瞥見書桌上有個照片框，框裡有一名樣子漂亮的女人。

「這個女人對你來說，很重要吧？」

我取過照片，仔細觀看，嘴角勾起一絲淺笑。

先前被我弄斷手臂，羅虎也只是臉色變得蒼白了一點，但此刻看到我的舉動，竟一下子激動起來，怒喝道：「你想幹甚麼？」

「謝謝，你終於肯回答我的問題。」我看著羅虎笑道：「要是你想她性命安全，就乖乖跟我聽我的話去做！」

「你別亂來！」羅虎繼續怒吼，不過片刻後，又冷靜地說道：「哼，你跟本不知她的身分，亦不知她在哪兒。我不會如此容易上你的當！」

「嘿，誰說我不知道她人在何處？」我冷笑一聲，道：「你打開第一個抽屜看看。」

羅虎雖一臉疑惑，但還是依我所言，把抽屜打開。

但見他一拉開抽屜，一塊國字臉立時嚇得毫無血色，因為抽屜之中，竟有一隻被砍下來的女人斷手！

斷手纖纖，無名指上戴了一隻指環，跟照片中那女人手上的，一模一樣！

「這下子，你應該沒有不合作的理由吧？」我看著羅虎蒼白如紙的臉，邪笑道。

這女人斷手，其實只是我以「鏡花之瞳」製造的幻覺，不過在羅虎自然信以為真。

此時，只見他臉色反覆變化，似乎在思索是否答應我的要求。

片刻過後，他忽然在鍵盤上按了幾下，然後垂頭喪氣的道：「罷了！希望你能遵守承諾，別再傷害她！」

「怎麼說得要和她生離死別似的？」看到羅虎終於合作，我心中一樂，笑道：「放心吧，我和你教主雖素未謀面，但看在你最終願意合作的份上，我不會把你供出來的。」

「哈哈，太遲了，舵主失職，無論如何都是死罪。」羅虎用單手抱著頭，神色慘然。

正當我再想出言安慰幾句時，書房四周，忽然傳出一陣令人毛骨悚然的笑聲！

「嘿嘿嘿嘿嘿……」

陰沉的笑聲從四方八面傳來，雖然於我無礙，但羅虎聽到笑聲時，立時嚇得跪在地上，身體劇震不已。

「我主慈悲……我主開恩……」羅虎伏在地上，萬分惶恐地道。

看到羅虎的反應，我便知道笑聲的主人，正是此行目標，撒旦教主！

撒旦教主的笑聲陰森恐怖，當中隱隱帶著一股狠勁，一般人聽到這笑聲，也會像羅虎那樣，嚇得心驚膽顫，渾身劇震。

不過我聽在耳中，只是感到有點不快。

當我走到書桌前，那股笑聲便突然停止。

這時，我只見在電腦屏幕上，正顯示著一副光滑的金屬面具。

其實說是面具，那東西更像是一塊水銀面膜。

但整張面具，粗糙地貼伏著螢屏中那人的面形，讓人知五官位置，卻又看不透其樣貌，神秘矇矓之極。

這張面具最特別的地方，就是其金屬表面，光滑無痕，密不透風，甚至眼孔鼻孔都沒有。

偏偏，我卻感覺得到，面具背後，有一雙眼睛正在注視著我。

透過那光滑得過分的金屬面具，我在對方螢幕上的樣子，毫無保留地反映出來。

我倆互相對視，一時皆默然不語。

四周寧靜得很，門外的教眾不知何時離開了，偌大的書房內，只剩下電腦的運作聲及羅虎壓止不住的喘息聲。

「你就是薩麥爾吧？」我坐在軟綿綿的毛椅上笑問，率先打破沉默。

鐵面人沒有作聲。

「我叫畢永諾，跟你一樣，都是魔鬼。」我指著左眼「鏡花之瞳」說。

鐵面人仍然保持沉默。

「既然大家都是魔鬼，就好好說話吧，別讓我像個傻子般自言自語。」我有點不滿的道。

鐵面人依然不發一言。

「雖然我常笑臉迎人，但那不代表我脾氣好。」我冷笑一聲，心下不禁有點怒意。

「廢物。」

鐵面人忽然冷笑一聲。

我沒想不到鐵面人首先吐出的，會是這兩個字，不禁一陣愕然。

鐵面人看到我傻眼的樣子，似乎十分高興，只見他忽地瘋狂大笑，然後用戴著黑色手套的手指著我，上氣不接下氣地笑道：「廢物！我在跟你講話啊廢物！怎麼突然不說話了？來，不別這般吃驚……廢物！」

此刻的我，已經不再氣憤，反而大感疑惑，因為屏幕裡的鐵面人笑得實在太瘋狂，瘋狂得讓我一頭霧水。

看見他指著我捧腹大笑，我開始懷疑自己是否尋錯對象。

我轉過頭，疑惑地向仍跪在地上的羅虎問道：「這個人，真的是你們教主？」

羅虎雖然仍深陷在恐懼中，還是勉強地點了點頭。

我心下起疑，怎麼眼前的薩麥爾跟拉哈伯所形容的高傲冰冷，截然不同？

「你這個廢物，有甚麼資格懷疑我！」這時，鐵面人忽又停止狂笑，冷冷的道：「我跟你說，我就是撒旦，魔鬼之首、地獄之皇！你，快點給我跪下。」

我搖頭說道：「我不會跪拜冒牌貨。」

鐵面人冷哼一聲，道：「不聽我的命令，可是死罪！」

我笑道：「我又不是你的教眾，你的教條可約束不了我。」

鐵面人忽然沉默，過了半晌，才冷冷的問道：「那你這廢物，為甚麼要見我？」

「嘿，我此行目的有二。」我漠視他的辱罵，強忍怒氣，道：「第一，我想知道你為甚麼要對那名叫鄭子誠的普通人趕盡殺絕？不單射死他妻子，連她肚裡的嬰兒都要下殺手？」

鐵面人用手摸摸下巴，疑惑道：「鄭子誠？嗯……啊！我想起來了，是不是那個警察？」

我點點頭後，只聽得鐵面人語氣認真地道：「其實我殺他的妻兒，是因為……」

「我才不會告訴你！哈哈哈哈哈哈！」

正當我留心等待他的答案，鐵面人再一次失控大笑！

我聞言錯愕，鐵面人見狀更覺得意，笑道：「跟我作對？我就偏不和你說！我殺那女人的目的嘛……自己想想吧，廢物！」

說罷，又是一陣狂妄的笑聲。

我怒氣沖沖，可是沒有表現於色，只是心念轉動，暗中盤算如何教訓他。

「既然沒有商討的餘地，那就只好以『鏡花之瞳』讓他吃點苦頭！」我心中暗暗決定。

霎時間，整個書房都充斥著濃厚魔氣，正是我打開魔瞳後所產生的現象。

不知對方實力如何，我只好一下子用上五成功力，以防萬一。

打從剛才在大廳中喚醒魔瞳自保後，我便一直沒有把它闔上，所以鐵面人應該不會察覺到，我準備發動攻勢。

何況那鐵面人不在我附近，感受不到我周身散發的魔氣，正在增強。

這樣的情況，正好讓我暗中偷襲！

面具阻隔了鐵面人的雙眼，但我一直有一種被注視的感覺，可見他的目光能夠穿透面具。

雖然我和他以視頻交流，瞳術威力會有所減弱，但只要我倆目光交接，不管相隔多遠，我都可以入侵他的思想！

果不其然，在我預備妥當後，當他目光接觸到我左眼時，四周便即被黑暗吞噬。

漆黑無光的環境中，我唯一能見的，只有面前螢幕中的鐵面人。

「入侵思想，順利無阻！」我心中暗喜。

如此輕易便能入侵這撒旦教主的思想領域，我不禁再次懷疑他身分的真確性。

「無論如何，我都得教訓這狂傲的傢伙。」我聚精匯神，仔細地構造這鐵面人將會見到的幻覺。

為了能繼續談判，我打算只給他一個下馬威了事。

想了一會兒，我決定讓他在幻覺當中，看見自己的右手自動撕掉左手。鐵面人當然並不會真的斷手，但他待會兒感受到的痛苦，卻是比真實的還要深刻十倍。待幻覺的一切都建構妥當，包圍我倆的黑幕便即消失無蹤。

四周回復正常後，鐵面人依舊狂笑不止，但我知道，他很快便會笑不出來。

想念及此，我臉上回復一貫笑容。

我微笑不語的看著他，靜靜期待他的驚恐。

可是，時間一分一秒的過去，他依舊陶醉在自己的瘋笑之中。

「難道我的幻覺失效了？」我見他絲毫沒有動靜，心中疑惑，「我明明已入侵他的思緒，按理他該會看見我預設的幻象，怎麼到了現在也沒反應？」

正當我苦思不解之際，忽然，我感覺到自己的右手自己舉了起來，然後牢牢抓著左手手腕不放！

我大吃一驚，用力想分開雙手，卻頓時發覺兩手已完全不受控制！

此刻，我已經明白到，原本應該發生在鐵面人身上的幻覺，不知怎地竟回彈到我身上！

我愕然地抬頭看著鐵面人，完全不知究竟他作了甚麼手腳！
突然間，撕裂的痛楚在我左肩膀爆發，並迅速漫延，卻是我的右手已經一把將我左手撕下！
傷口瘋狂湧出的鮮血，全噴到我的臉上，我眼中所見的一切，剎那變成鮮紅！

「廢物，永遠都是廢物！幹甚麼都會一敗塗地！哈哈哈！」
鐵面人靠近鏡頭，再一次瘋狂地笑。
如鏡的面具，反映著我那張被血淹沒的錯愕臉孔。

第十章

出其不意

第十章　出其不意

眼看左肩的傷口血肉模糊，我明知那不過是幻覺產生的假像，但斷手的灼熱痛楚，比真實還要來得真實。

「哈哈哈，身中自己魔瞳的招數，感覺可好？」鐵面人在屏幕的另一邊放聲嘲笑。

我狠瞪他一眼，心下卻始終百思不解。

明明已入侵了鐵面人的思想，為甚麼我自己會在毫無先兆下，反經歷了「鏡花之瞳」的幻覺？難道他的魔瞳異能，就是反彈其他魔鬼的攻擊？

縱然我是魔鬼，擁有異常的復原速度，但身處「鏡花之瞳」所產生的幻覺當中，這復原能力卻起不了作用，因為現實中的我，根本沒有受傷。

雖說斷手只是幻覺，但我知道「鏡花之瞳」所產生的幻覺有多厲害。不存在的碗大傷口血流如注，使我身體越感乏力。

長此下去，我的腦袋最終會以為我失血過多，強制停止我身體所有運作機能。

換言而之，到那時候我就會死掉！

我沒再理會鐵面人的嘲弄，只冷靜地暗中留意可供逃走的路線。

我盡量保持心境平和，因為過分緊張，只會使流血的情況加劇。

「幹嘛默不作聲？嗯……讓我猜猜，你是想挾著尾巴逃吧？」鐵面人摸著下巴，一本正經的猜測。

我沒有回應，只是冷冷的反問道：「你想知道我找你的第二個目的嗎？」

「姑且聽聽你的廢話。」鐵面人笑道。

「想來你也知道，末日將至，這個世界很快會被天國的天使所毀滅。我們魔鬼四分五裂，毫無還手之力，那時候魔鬼一族定會滅亡。」我把此行第二個目的說出來，希望鐵面人能夠改變主意，「雖然不知你招攬其他魔鬼，是否為了應付第三次天使大戰，但我希望我們能聯手合作，與天使軍一戰。」

「啊？你意思是想化敵為友？」鐵面人問道。

「不錯，雖然我和拉哈伯只有兩個人，但拉哈伯是七君之一，又是撒旦心腹，必定能召來一定數量的追隨者。」我點點頭，說：「加上你撒旦教原本的勢力，未嘗不能一戰。」

「拉哈伯？他不是恨我入骨嗎？怎會願意跟我合作？」鐵面人饒有趣味的問道。

「大事為重，拉哈伯說私人恩怨就暫時擱下，不然天使大軍殺到，甚麼恩怨也成空話。」我答道。

「哈哈……那傢伙如此看得開，似乎他真的很怕第三次天使戰。」鐵面人笑道。

「你意下如何？」我盡量平心靜氣。

事實上，我已因失血過多，開始感到暈眩，但現在只能抖擻精神，不讓鐵面人察覺到我的異樣。

「我的意思嘛……」鐵面人笑道：「我拒絕。」

「為甚麼？」我不太意外，但還是追問。

「因為你，」鐵面人指著我，不屑的續道：「因為你是一件廢物，我看到你就感心煩！莫說合作，如果你在我身旁，我一定會殺了你！」

「為甚麼你這麼憎恨我？」我萬分不解。

「恨你？不！我不恨你，你不過是一件垃圾，一件根本不應存在世上的垃圾。」鐵面人冷冷的道：「既然拉哈伯選了你作搭擋，證明他已老眼昏花，成不了大事。」

我聞言只感無奈，一時之間實在想不通為甚麼他會如此輕視我。

眼下，我唯一能確定的，就是談判破裂了。

「既然如此，我們只好各自利用自己的力量，去招攬其他魔鬼加入。我不祈望你會不加干預，但我想提醒你，這世界每少一頭魔鬼，我們反擊的力量便少一分。」我說道：「自相殘殺，於你於我也沒好處。」

「招攬其他魔鬼？」鐵面人聽後卻仰天大笑，「難道你們之前沒嘗試過嗎？」

「我和拉哈伯從半年前開始到世界各地尋找伙伴，可是所有魔鬼都人間蒸發，沒了蹤影。」我的呼吸漸漸粗重，只能勉強提氣答道，「我們……唯一發現的一名日本魔鬼，都在我們到達前遇害，這些都是你幹的好事吧？」

「對，世上的魔鬼大都加入了撒旦教，為本教主效力。至於小部分不領情的……嘿，結果你都知道了。」鐵面人笑道。

「這樣說來，未被招攬而又未遭你毒手的魔鬼，所剩無幾了。」我苦笑道。

鐵面人冷笑一聲，傲然道：「這世上，還未加入我教的魔鬼，不足一百！」

我聞言，心下猛地一震！

不足百人！只有不到一百頭魔鬼還未加入撒旦教！

據拉哈伯先前粗略估算，現存世上的魔鬼數目只有三四千人。

如果真如鐵面人所言，這些魔鬼都投靠撒旦教，那撒旦教此刻已經等於整個魔界，這亦解釋為何我和拉哈伯，一直找不到其他魔鬼！

「所以嘛，你和拉哈伯加入與否，對我根本沒有影響。」鐵面人看見我震驚的表情，頓了一頓，笑道：「不過，我開始後悔下達殺令，因為看到你那蠢到不行的呆表情，原來也頗能令心情愉快。」

「殺令？這是甚麼意思？」問罷，我心中有異，立時凝神靜聽，卻發現門外傳來十道極輕的呼吸聲。

「終於發現了嗎廢物？」鐵面人冷笑一聲，道：「門外的人都是我手下，雖只是凡人，但至今獵殺過一百七十二名魔鬼，你這廢物將會是第一百七十三個。」

門外十人的呼吸又緩又輕，明顯經過嚴格訓練，聽起來比光頭「光明使」厲害得多。

「到了這地步，你能告訴我為甚麼要招攬這麼多魔鬼嗎？」我喘息問道，「別跟我說，你是為了應付第三次天使大戰。」

「嘿，看你的樣子，還不用我手下動手，你都快要虛弱而死。」鐵面人說罷，縱聲大笑：「不過，我不會告訴你的，我要你含恨而終！」

「是嗎？」我無力苦笑。

這時，鐵面人輕叱一聲，書房大門忽然打開。

十名身穿武裝的黑衣士兵，衝了進來，迅速將我團團圍住。

每名黑衣戰士皆手握重型步槍，一言不發的將槍口瞄準我。

忽然之間，我身上多了十個紅色圓點，在周身上下遊走。

「廢物，這些步槍裝填的都是魔鬼最怕的銀製子彈，其射速更是快得連魔鬼都難以閃避。」鐵面人笑道：「我看你現在連指頭都動不了，還是乖乖坐下變蜂窩吧！」

說罷，鐵面人再次放聲大笑。看著我被殺，似乎是他接下來的娛樂。

我掃視那些黑衣戰士一眼，發現他們全都戴上連帶漆黑眼罩的頭盔。

黑如濃墨的眼罩，使我看不到他們的眼睛，但同時我完全感覺不到他們的目光。

這樣一來，我就不能以魔瞳，入侵他們的思想領域。

「不要再像個白痴般左看右看了，你的魔瞳是穿過不了那特製眼罩的，乖乖受死吧！」鐵面人拍手笑道。

「薩麥爾。」我勉力抬起頭來，看著螢幕中那塊光滑如鏡的面具。

「想說遺言？」鐵面人歪頭問道。

「你一直都這般小看人嗎？」我問道

「沒有，我只看不起沒用的垃圾，不是人。」

「你說，這十人曾獵殺過多少魔鬼？」我閉目問道。

「一百七十二個。」鐵面人討厭的笑聲繼續迴盪，「怎麼了？終於感到害怕嗎？」

「不。」

我睜開眼睛，精光四射，笑道：「因為，我不是一百七十二頭魔鬼。」

一語未畢，我的身影已消失在原地！

碰！

我身後兩名黑衣戰士還未來得及反應，已被我以迅雷不及掩耳的手法，一人一掌轟斃！

我所含掌力剛強，二人立時像斷線風箏般，直飛向牆壁！

「我，畢永諾，」我身體如閃電疾走，同時傲然笑道：「可是比一百七十二個魔鬼要厲害！」

其實，早在鐵面人拒絕和好時，我斷掉左手的幻覺已經消除。

我本來只想讓他大吃一驚，稍挫其銳氣，所以在設定幻覺時，把幻覺消失的條件，制訂為他回覆我結盟要求之後。

因此當他拒絕合作時，幻覺便散，我的身體亦立時回復正常。

打後的疲態其實是我故意裝出來，好讓他放下戒心，並說出聚集群魔的目的。

只是鐵面人始終守口如瓶，不露半點口風，而情況變得危急，我不得不出手反擊。

我在狹小的書房中飛快遊走，本打算以人類肉眼難及的速度，將餘下戰士逐一擊斃，但在我發難擊殺身後兩人時，餘下八名戰士處變不驚，已立時背靠成圓，四下掃射。

一般而言，我的視覺和身法都能跟得上子彈速度，但這些特製步槍的發射速率，竟比普通的快上數倍！

我登時左支右絀，使出渾身解數，才不致中槍。

霎時間，四周因我的高速奔走，刮起一陣大風，無數紙張雜物在空中亂舞，無奈這還是阻止不了八名黑衣人的攻勢。

起初，我以為這武裝部隊只是在胡亂掃射，因為凡人眼力根本捉摸不到我的身影。但才繞著他們跑了數個圈，我便發現那似是亂來的射擊圓陣，其實每一發子彈相互間配合天衣無縫！

雖然他們不是瞄準我來發射，但那八個人合起來的射擊套路，卻使每個人的攻擊盲點都被旁邊同伴的射擊所彌補。

換言而之，只要我速度稍慢，便會立時連環身中數人的攻擊！

銀製子彈毫無間斷地劃破空氣，將書房每一件東西都撕碎。

低沉的槍聲此起彼落，不消一會，整個房間已經煙霧迷漫，但明顯阻止不了黑衣戰士們的視線。

我本打算一直跑到他們換彈時趁機偷襲，誰知在他們子彈快將耗盡之際，一隻機械手臂，竟自動替搶手換上補充彈夾，令他們的攻擊沒有片刻停頓！

「真是難纏！」我罵了一聲。

「哈哈哈，你這廢物比我想像中稍為有用，竟能在不知不覺間，解除了自己魔瞳的招數，可是你的命運不會因此改變！」鐵面人狂妄的笑聲再次響起，「說實話，我現在倒有點兒不捨得殺你，因為你跳來跳去的樣子，像極那些動物園裡的猴子！哈哈哈！」

那聖經小螢幕，早已被步槍射得支離破碎，但鐵面人的聲音依舊從牆壁上傳出來，看來這書房中另有攝影機。

「這撒旦教主真是一個瘋子！」我心中暗暗咒罵，步速不減。

我現在不敢分散注意力，不然心神一分，腳下稍慢，變會立時被黑衣戰士射成蜂窩。

我一直繞著黑衣人組成的黑色圓圈奔跑，由於他們的陣形實在是組合得滴水不漏，我完全接近不了，也無從攻擊。

這段時間，我計算過和大門最短的距離，要是我出盡全力跑向大門的話，還是不免會中上幾槍。

正當我苦無對策之際，忽然有一道呻吟聲從黑色圓圈的中心傳出來。

我一看之下，大喜過望，原來是那香港分舵舵主羅虎！

自我中了幻覺，一直到黑衣戰士攻進來，所有事情都在短時間內發生，倒使我一時將羅虎遺忘。不過現在的他，極可能成為我扭轉局面的關鍵！

我心思一轉，已然想到計謀。

據我觀察，鐵面人應該還不知道「鏡花之瞳」的能力，因為一直以來的對話當中，他只是提及「魔瞳的招數」，但沒明確指出，我擁有能製造幻覺的「鏡花之瞳」。

這樣一來，我只要成功令羅虎再次產生幻覺，逼使他從圓陣中心，擾攘其中一名黑衣戰士，我便可乘機攻進圓陣的正中央！

不過，這計算的唯一問題，就是如何令羅虎跟我眼神接觸。

為了閃避銀彈，現在我奔走的速度，已不是凡人肉眼能見。如果我要再次入侵羅處的思想，便至少要和他對視一眼，哪怕只有數十分之一秒，而在停頓下來的這一剎那，我極有可能會中槍！

不過，權衡輕重後，我還是決定冒險一試！

羅虎雖然手斷一臂，但似乎神智仍然清醒，只是受了驚嚇，伏在地上不動。

他一直將面埋在地上，我得先讓他抬起頭來，才有可能與之目光交接。

「喂，羅虎！」我一邊奔跑一邊大叫，只是他不知是受驚過度還是真的聽不到，對我的話完全沒有反應。

我連喊數聲，羅虎還是伏在地上一動也不動。

「呵呵呵，不要再叫了，他只會聽我的命令。」鐵面人得意的笑道。

「只聽你的命令？」我不怒反笑，說：「好吧，讓我試試看他是否真的如此聽話。」說罷，我清清嗓子，暗暗運起拉哈伯所授的異術。

我催氣至頸部，待覺得喉嚨一陣蠕動，火熱感覺充滿喉頭時，我便即怒叫道：「羅虎！還不起來！」

我口吐出來的，不再是我原本的聲線，而是鐵面人的聲音！

本伏在地上的羅虎，聽到我假扮鐵面人的聲音，立時嚇得跳了起來，而此時他的眼睛，自然看著前方。

「機會來了！」

我心下一喜，立時跑到羅虎面前，稍作停留。

電光火石間，我已成功入侵他的思想領域並設下幻覺！

誰知道，我不過停頓了數十分之一秒，兩顆銀製子彈已毫不留情地鑽進我的左肩！

「該死！」我大聲罵道。

一陣比斷手激烈數十倍的痛楚，在兩個傷口間迅速擴散，我被射中的左手頓時沒了知覺！

看來兩顆銀彈沒有穿透，而是在肩膀中炸裂開來。

那種痛入心扉的感覺，教忍耐力甚高的我，都不禁沉聲喊痛一下！

不過，我雖然中槍，腳步卻不敢停留，因為我知道只要有一絲猶豫，便得吃上更多銀彈。

「哼，變聲術！」鐵面人冷冷的道：「想不到這些小玩意你倒學了不少。」

鐵面人口中的「變聲術」，正是我剛才所使用的異術。

這種異術正是利用體內的氣，短暫改變聲帶的形狀，藉以達到變聲效果。

四年前，拉哈伯在我家中扮作我媽的聲音來刺激我打開魔瞳，正是用上「變聲術」。

我沒有回應鐵面人，只是微笑不語，事實上我左手兩個傷口，已經血流如注。

如果我在一分鐘內不能解決這支武裝部隊，我的速度便會因失血而開始減慢，到那時候，我的情況只會變得更加危險。

幸好就在這時，幻覺已經從羅虎的腦袋中展開！

羅虎一直站在黑衣人所圍成的圓陣中央，剛才聽到我假扮聲音後，便原地呆站著，等待「鐵面人」的下一步指示。

但在此時，書房天花板上的吊燈突然搖擺不定，接著「呼」的一聲，吊燈竟突然掉了下來，直往羅虎頭上墮去！

吊燈體積不少，掉下來時力道十足，要是被直接砸中必受重傷。

羅虎驚覺到頭頂異樣，身體反射性的往前一撲，想要避開吊燈。

羅虎如此突然用力前撲，自然令兩名沒防範的黑衣戰士，被撞得微微傾前，原本滴水不漏的圓陣，因而露出一條小空隙！

「你幹麼？廢物，快停手！」鐵面人見狀怒喝。

「不用再叫了，他現在可是聽不到你的話！」

我模仿鐵面人剛才的語氣笑道。

不過此刻的我，已身在圓陣中心！

書房內被我刮起的旋風倏地停止，因為我剛才已從羅虎所製造出來的空隙，瞬間跑進了武裝圓陣之中。

那些黑衣人反應不慢，驚覺到我竄到他們背後，連忙想轉過身來將我擊殺。只是，當他們的頭面向著我時，他們的身體依舊朝向前方。

會產生如此怪異的情況，是因為在我衝進來的剎那間，我已經將他們的頭，一百八十度的「扭轉」過來。

「抱歉，錯手扭斷你們的頭。」

我看著他們笑道，可惜八人都已經聽不到了。

霎時間，所有黑衣戰士皆面目向我，胸口朝外的跪倒下來，沒哼一聲的死掉，場面妖異之極！

羅虎這時已從幻覺中清醒過來，看到八具頭顱反轉的屍體，不禁臉色大變，渾身雞皮疙瘩起來。

我抓著羅虎的衣領，一把提起了他，向天高聲喊道：「薩麥爾，你口中的廢物已將你手下都殺光了！還有沒有其他殺著？通通都亮出來吧！」

誰知道我喊了幾聲，卻聽不到任何回應，看來和鐵面人的通訊已經中斷了。

正當我在其中一名黑衣戰士身邊俯身，想搜索一下他身上的通訊設備時，忽然，一種異樣感覺在我心頭一閃而過。

我腦袋還未轉過來，身體已因這一絲異樣，反射性的躍出書房門外。

爆！爆！爆！爆！爆！爆！爆！爆！爆！爆！

身體才躍過房門，書房內的十具黑衣屍體，竟同時發生劇烈爆炸！

在強烈的爆炸下，本已被子彈射得瘡痍滿目的書房應聲塌陷，四周頓時塵土飛揚。

看著滿滿火光的瓦礫，我心中暗道：「看來鐵面人想利用黑衣戰士的自爆來殺死我，幸好魔鬼的直覺，使我能及時離開房間，絲毫無損。」

「好……好險！」羅虎爬在地上，心有餘悸地說。

我踢了他一腿，罵了一聲：「你是走狗運。」

我一直將他提在手中，跳出來時自然順手帶上。

不過，救了羅虎其實也不是壞事，自小我可以從他口中，問出更多關於撒旦教的資訊。

想到剛才的爆炸很可能已驚動旁人，於是我便趕緊帶著羅虎離開。

在駕車離開的途中，我用右手將槍傷附近的腐肉和銀彈挖乾淨掉，左手才漸漸恢復知覺。

回到市區後，我便押著羅虎，先入住跟拉哈伯約定好的飯店。

安頓妥當後，我便致電給子誠，看看他們情況如何，誰知他們原來已提早完成訓練。

「你們已經特訓完畢？」我驚訝的問道。原本預定七天的訓練，想不到子誠竟然在四天內完成。

「嗯，子誠的意志力可比我們想像中強韌得多，」拉哈伯在電話的另一端淡然說：「他已經完成第一步訓練。」

「你們現在在哪兒？」我問道。

「就在酒店啊。」

「我們在六二二室，你們來這兒吧。」我說道。

「你們？」拉哈伯疑惑問。

「對，我抓了個俘虜回來。」我笑著，一邊拍了拍羅虎的臉。

掛了線後，不過片刻，忽有人在房外輕輕叩門。

門一打開，正是子誠和拉哈伯。

讓他們進房後，我便即笑問子誠：「這幾天的訓練還好吧？見識到拉哈伯可怕的一面了吧？」

子誠搔搔頭，不好意思的道：「沒有啊，拉哈伯對我很好，至於訓練還不算辛苦，都撐過來了。」

我轉頭問拉哈伯：「子誠能自由召喚魔瞳了吧？」

「自然可以。」拉哈伯冷冷的道：「不單如此，他已能看得見死者生前四小時的回憶了！」

我聞言忍不住讚了一聲，想當初我可花了整整一個星期，才能初步自由駕馭「鏡花之瞳」，想不到初為魔鬼的子誠，只訓練上四天便行。

這時，卻忽聽得拉哈伯用傳音入密跟我說：「子誠的復仇心比我想像中還要強大，這是一把雙刃劍，你往後得小心。」

我聽到後，依然笑容滿臉，只是輕擦鼻子，示意明白。

「噫？你的左手傷了嗎？」子誠指著我包裹著布條的左手驚訝道。

「嗯，被銀彈傷了。」我笑道。

「銀彈？」子誠奇道：「魔鬼的復原能力不是很強嗎？為甚麼你的傷勢好像很嚴重？」

我笑道：「我們魔鬼甚麼都不怕，最怕就是天上唯一和銀。這些以後再跟你說吧。」

說罷，我便將窗簾放下，房間頓時幽暗起來。這種環境，能使拷問更有效。

這時，子誠看到地上的舵主，轉過頭來問道：「這就是你抓回來的俘虜？」

我點頭說道：「對，他是撒旦教香港分舵舵主，名叫羅虎。」

聽得是撒旦教的人，子誠臉色立變，怒氣沖沖的把羅虎提起來，喝道：「你就是香港分舵舵主？」

羅虎猶自鎮定的道：「我就是。」

羅虎在香港的撒旦教分舵中，算是一人之下萬人之上，平時頤指氣使慣了，現在淪為俘虜，卻也似乎稍微保留了一點傲氣。

我拍了拍子誠的肩，溫言說道：「冷靜點，我們可以慢慢拷問他。」子誠聞言，強忍怒氣，將他放回地上。

「我們的俘虜規矩有三，一不得喧嘩，二不得撒謊，三不得討價還價。」我把羅虎放回地上，笑道：「只要有違其中一點，我就將你送回撒旦教，知道嗎？」

說罷，我一手撕掉羅虎的左耳！

早在他書房時，我已經從羅虎異常的驚惶舉動中，感覺到他對撒旦教主的無心畏懼。

這次他領導的香港分舵遭逢大敗，若送回去，想必會受到慘絕人寰的酷刑。

果不其然，羅虎聽到後連連點頭，也不知是他本身硬朗還是真怕了我，左耳被撕竟只皺了皺眉頭，沒哼一聲。

我拍了拍他的光頭，表示讚賞，笑道：「這樣才是好漢子嘛！」羅虎不敢回話，只好乾笑數聲。

子誠蹲下來瞪著他，語氣嚴峻地問道：「說！你是不是曾下命令要殺我全家！」

羅虎微微點頭地點頭，但隨即又搖頭說：「我的確曾下過這命令，但我只是轉達教主的意思。」

子誠聞言勃怒，道：「為甚麼你要下這個命令！為甚麼要拆散我的家庭！」

「我不轉達的話，死的可是我！」羅虎略感委屈地說。

「難道這樣，就可以犧牲我妻子，犧牲我的孩子了嗎？」子誠吼道：「我現在就要你死！」

說罷，朝著羅虎的臉頰就是一拳。

子誠來勢洶洶，羅虎想閃避卻又不敢，只得任他拳打腳踢。

我待子誠發洩了一會後，才將他拉開，安慰他道：「好了，讓我來吧，我們一定會找出兇手的。」

子誠尤自對羅虎怒目而視，我望了拉哈伯一眼，拉哈伯便說：「子誠，過來坐下吧。」

聽到拉哈伯出面，子誠這才走到牀邊坐下來，可是依然怒氣不減，仇視著羅虎。

我蹲了下來，笑問：「你說那命令是你們教主的意思，那麼他的目的是甚麼？」

羅虎搖頭道：「我不知道。」

「不知道？」我一臉微笑，抓住他的右手，然後用力扳開他拇指指甲！

羅虎想喊痛，可是似是忽然想起我的警告，只好連忙用另一隻手掩住嘴巴，不讓自己叫出聲來。

「我問你話，你竟敢掩口不答？」我邊笑邊把他另一隻手拉了過來，稍一用力，又扳開了他拇指指甲，然後再次問道：「還不知道嗎？」

「我真的不知道……啊！」羅虎放聲大叫的同時，左手食指又與指甲分離。

直到他的手指甲全部被我扳開，雙手鮮血淋漓，我才跟子誠說道：「看來他真的不知道那教主的意圖。」

子誠點點頭，臉上怒氣已消，神色頗有不忍地說：「那就放過他吧，不要再折磨他了。」

我見狀，心下暗覺好笑，因沒想到子誠竟是如此善良。

「好吧，我就先停一下，但你說謊的話，我還是會知曉的。」我對羅虎笑道。

羅虎一臉蒼白，連連點頭，誠惶誠恐地說：「是，是！」

「那麼當時殺死那孕婦的兇手，你該知道是誰吧？」我問道。

「這個我知道……」羅虎猶豫半晌，才續道：「那人……那人叫李鴻威。」

「李鴻威？」我眉頭一皺，問道：「說說他的樣貌。」

「他是我們的光明使，臉上有一條大疤痕，從左額一直伸展到嘴角。」

聽到殺妻兇手的容貌，我注意到子誠並沒有多大反應。

正當我心感疑惑時，只聽得拉哈伯的聲音傳入耳中：「我和子誠他先前曾去過殮屍房，用『追憶之瞳』看過他妻子死前記憶，早已得知兇手樣貌，但除此之外，一無所知。」我聞言，擦擦鼻子。

「你知道這李鴻威，此刻人在哪裡嗎？」我問道。談及這個問題，子誠神情顯得關注起來。

「他因為優異表現，得到教主賞識。在這次任務完成後，已經去了分部晉見教主。」羅虎說時吞吞吐吐，顯然不想將分部位置說出來。

「你這人真不爽快，」我皺起眉頭，順道將他右手手指全部往後扭斷，「說！他去了哪個分舵？」

「啊……我說，我說！」羅虎淚流滿面的道：「意……意大利！李鴻威去了我們的佛羅倫斯分部！」

我將羅虎放開，轉過頭看著子誠，道：「我們得去一趟歐洲了。」

子誠點點頭，隨即低聲嗚咽起來，知道殺妻仇人的下落，他的情緒不禁激動起來。

正當我想繼續拷問羅虎的時候，放在茶几上的手提電話忽然作響。

「嗯？誰會知道你的手電號碼？」拉哈伯疑惑問道。

「是妲己的女兒。」我答道，同時接下來電，笑問：「是煙兒嗎？怎麼了？」

「大哥哥，媽媽被撒旦教的人擄走了！」

煙兒在電話的另一端，大聲哭道。

第十二章——佛羅倫斯

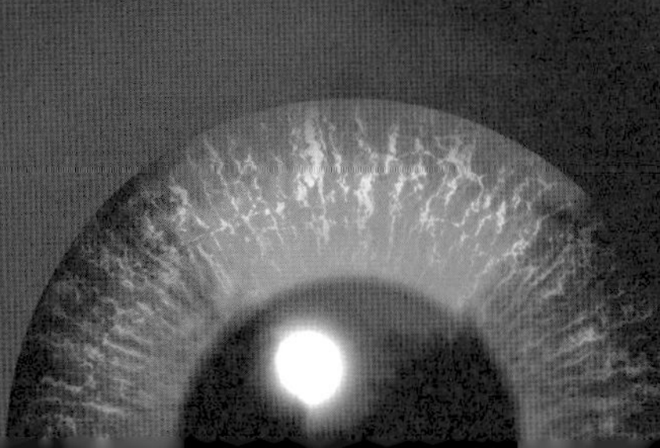

第十一章　佛羅倫斯

殘陽在起伏的山丘間之無聲西下，給天邊浮雲，染上一點紫紅色彩。

子誠駕著跑車，在通往機場的青馬大橋上奔馳，車窗之外，是香港平常難得一見的廣闊景色，可是此刻車內眾人，都沒有心情欣賞。

車廂中沒有音樂，唯一的聲音，就是煙兒的啜泣嗚咽。

「小諾，你快點給我擺平她，我快受不了！」坐在前座的拉哈伯，利用傳音入密跟我說道：「她再哭下去，我就要出手讓她昏死過去。」

「煙兒，不要哭了，大哥哥答應你，一定會將你媽媽從撒旦教手中救出來。」我邊勸慰煙兒邊向拉哈伯瞪眼。

「那些臭男人看到我媽媽的美色，他們一定會……我……我不想媽媽受到傷害……」煙兒慘然泣道。

「你媽媽的實力比她嬌滴滴的外貌厲害得多，就算是薩麥爾也不能任意妄為。」我按住她頭頂，柔聲安慰，「再說，你這樣哭也於事無補，我們此行到意大利勢必有一場惡鬥，你可以要休養充足才能應付。」

煙兒聽後，終於勉強靜下來，可是淚珠仍舊長流不止。

「大哥哥答應你，無論如何都會把你母親救出來，任何欺負過她的人我都不會放過。」我向她遞上一張面紙。

煙兒看著我，一臉感激的說道：「謝謝你，大哥哥。」

我拍拍肩膀，示意她伏下休息，煙兒淡淡一笑，便側過頭，倚在我肩上養神。

車廂，又平靜下來。

在我們找到煙兒時，她已哭成淚人，慌亂無神。

她邊哭邊說，我們好不容易才聽出一個事情的大概。

原來那晚拉哈伯離開之後，妲己便漏夜帶著煙兒搬離原址，遷到一偏僻之處。

據煙兒所說，到了新居後，妲己整天呆在家中，神不守舍，看來是在考慮出山的事。

煙兒想勸說妲己協助我們，可是對於她的話，妲己總是有一搭沒一搭的。

直到昨天晚上，煙兒出外購買糧食，回家時卻發現現場一遍凌亂，屋裡所有東西都被人翻倒，妲己竟也失蹤了。

現場沒有打鬥痕跡，兇徒也沒有留下甚麼聯絡方法。

唯一證明妲己被擄的證據，就是有人在雪白牆上，用殷紅的鮮血，寫了一個名字。

「薩麥爾。」

拉哈伯低聲喃喃片刻，忽在前座回頭，道：「娃兒，你娘在這幾天有沒有說過甚麼奇怪的話？」

煙兒伏在我肩上，輕輕搖頭，說：「沒有，她這幾天話很少。」

拉哈伯把頭縮回，沒有作聲，似在思索甚麼。

我向他問道：「怎樣了，你覺得是誰才是真正擄走妲己的人？」

早在找到煙兒前，我已經將在撒旦教聚會的事告訴拉哈伯和子誠。

雖然兇徒用血寫下薩麥爾的名字，可是按時間計算，擄走妲己的人，決不會是我在電腦螢幕見到的鐵面人。

我曾拷問過羅虎，可是他對擄走妲己一事，實在毫不知情。

「可能是薩麥爾，可能是其他魔鬼。」拉哈伯說。

「你這樣子不就是甚麼都沒說嗎？」我沒好氣地說。

拉哈伯回頭瞪了我一眼，道：「若說你見到的鐵面人是薩麥爾，我可萬萬不信。你形容的那個人表現瘋狂，鋒芒太露，這跟薩麥爾一貫的孤高冷傲性格截然不同，所以擄走妲己的可能真是薩麥爾本人。」

「那你怎麼又說可能是其他魔鬼？」我奇道。

「薩麥爾自覺至高無上，按理不會將一手創立的撒旦教，雙手奉送別人。」拉哈伯說到這兒，嘆了一聲：「唉，不過畢竟過了二千年，說不定他真的性情大變，所以你看到的鐵面人真是薩麥爾，而擄走妲己的只是他派來的手下。」

「我直覺鐵面人不是薩麥爾，因為從他的言語間，我感受一股很不尋常的恨意。」我回憶著鐵面人的舉動，說出心中想法，「他若真是薩麥爾，照說不會跟我有甚麼深仇大恨，而且他的表現實在孩子氣得很，渾不像一個能害死撒旦的人。」

拉哈伯「嗯」的一聲，道：「你說的也不無道理。其實妲己跟薩麥爾早有嫌隙，當初七君重選，極力反對妲己加入、指責她血統不純的人，正是薩麥爾。」

「不過，不管撒旦教主是不是薩麥爾。」我握緊拳頭，堅決地道：「這次我一定要將吃過的苦頭，十倍奉還！」

這時，正在駕車的子誠忽然插話：「究竟那薩麥爾是甚麼來頭？竟然可以將小諾魔瞳的招數反彈。那是他的魔瞳能力嗎？」

聽子誠的語氣，看來拉哈伯在這幾天的訓練中，已跟他詳細解說了魔瞳特色。

「不是魔瞳。」拉哈伯搖搖頭，淡然說道：「那是十二神器之一，能將所有目光接觸類與精神類魔瞳攻擊，盡數反彈的『明鏡』！」

我聞言倒抽一口涼氣，因為我從沒想過，那塊鐵面具，竟是神器！

假若我當時利用「鏡花之瞳」，施展一些更具威力的幻象，我很有可能會就此死去！

看到子誠神色疑惑，我便即解釋道：「十二神器，乃是當初天上唯一創世時，分別賜予給十二名大天使，以協助他創造天地。神器各具逆天威能，本應只存在伊甸之中，不過在第一次天使大戰時，十二名大天使分成兩陣，所以令當中一部分神器，失落人間。」

「聖經上記載，亞當和夏娃被逐出伊甸後，天上唯一安置了一柄火劍守護伊甸。那柄火劍便是其中一具神器。」拉哈伯此時插話，道：「幾千年來，這些遺留人間的神器，都在世界各地流傳。偶爾給人拾到，那些人往往會成為名留千古的傳奇人物。」

「這樣聽起來，撒旦教是僥倖得到？」子誠說道。

「薩麥爾本是十二名大天使之一，他擁有的神器便是『明鏡』。我聽說他千年前曾弄失，想不到現在竟然找回來。」拉哈伯說道。

子誠聽罷，點點頭示意了解。當了一陣子的魔鬼，看來他已開始接受一些和認知相違背的奇怪事情。

「你有否聽過希臘神話中的蛇髮妖女美杜莎？」拉哈伯忽然問子誠道。

「是不是那個，別人看到她眼睛就會被石化的妖女？」子誠想了想，答道。

「對，你何知她是怎樣死去嗎？」拉哈伯問道。

「美杜莎的死，是因為有名希臘勇士挑戰她時，避開她目光，同時利用盾牌作反……反射！」子誠驚訝的問道：「你的意思是，傳說中勇士那面光滑如鏡的盾牌，就是神器『明鏡』？」

坐在後座的我，也是和子誠一般驚訝，因為我沒想原來我先前見到的是希臘神話中提及過的神器。

「沒錯，那面鏡盾，就是『明鏡』。至於美杜莎，則是頭魔鬼。她的魔瞳異能其實不是真的令人石化，而是使肌肉僵硬的『僵固之瞳』。」拉哈伯淡然一笑道：「殺死她的勇士，本來只是名普通人，實力遠不如美杜莎。但他意外得到『明鏡』，殺美杜莎一個措手不及，使她反身中自身瞳術，僵化而死。」

「想不到，那段神話的真相是這樣！」子誠恍然大悟，又問道：「那麼為甚麼魔鬼會怕銀？」

「純銀對魔氣有著特殊反應，兩者混合，會產生毒素。因此我們被純銀所傷到的話，傷口會特別的痛，亦難以復原。這是天上唯一創造我們時的設定，至於目的我就不知道了。」拉哈伯頓了頓，說道：「不過不限於魔鬼，其實天使也會被到銀所傷。因為魔鬼不過是折了翼的天使，這種懼銀特性，是我們在天使時已經擁有。不過一般而言，魔鬼的皮膚碰到銀不會有任何損傷，唯有當血液接觸到銀，才會產生傷害。」

「不然，你早就被你胸口中的銀十字架弄傷。」說到此時，拉哈伯瞪了子誠的胸口一眼，道：

「我勸你最好將它妥當包起，不然你身上有傷口時被它碰到，那痛苦可是更勝火燒！」

子誠用手握了握十架，強笑道：「這十架是我妻子送的信物，包裹起來似乎不太好。」

拉哈伯平淡的道：「話我就說了，聽不聽由你。」

子誠只淡然一笑，沒有接話，只是將十字架收在衣服之中。

過了半晌，子誠忽把駕駛盤一轉，說道：「我們到了。」

往窗外一看，只見天空中不斷有飛機升降，我們終於來到機場。

我們三人一貓都沒買機票，不過擁有「鏡花之瞳」，沒辦理任何手續，我們還是能大搖大擺地上了一班飛往佛羅倫斯的客機，坐的還是頭等艙。

甫坐下不久，飛機便起飛了。

萬丈高空上的景色，總是令人心曠神怡。

我側著頭，看那明月從陰暗無邊的雲海中探首而出，尤自想得出神。

客機已飛行了數個小時，前座的拉哈伯已經在看第二套電影，他身邊的子誠和羅虎都閉上眼睛，不同的是一個睡著，另一個是被拉哈伯擊昏。

我身旁的煙兒早已哭累，臉上掛著兩行清淚的伏在我肩上睡了。

道。

「媽媽……」煙兒低聲夢囈，顯然在睡夢中仍牽掛她的母親。

我心下暗嘆，伸手輕輕替她拭去淚痕。

「還不休息？到了佛羅倫斯可是會有一場龍爭虎鬥。」坐在我前座的拉哈伯一邊看電影一邊說道。

「這次的敵人很厲害吧？」

「光是那鐵面人和擄走妲己的人已難應付，更何況還有為數不少的魔鬼。」

「嘿，那我們這次可不是毫無勝算？」我苦笑一聲。

「對，假如我們沒有你的話。」拉哈伯語氣平淡的道。

我笑道：「我可是連妲己都敵不過啊。」

「小諾，這次旅程可說是非同小可，我萬萬料不到撒旦教竟有這能力，將所有魔鬼收歸旗下。」拉哈伯忽然躍到椅背上，看著我說：「你要知道，魔鬼大都自傲，很少甘願居於人下，現在差不多所有魔鬼都投靠了撒旦教，實是耐人尋味。到了某些能逆轉情勢的關頭，你還是得『釋放真我』。」

「你想我毫不保留地展現力量？」我沉聲問道，「那後果有多嚴重……你不會不清楚吧？」

「事急從權，我們現在已不能再慢慢招攬魔鬼，唯有把那『證明』拿出來，讓群魔折服。」拉哈伯說著，雙眼充滿堅定的神情：「小諾，我要你奪取整個撒旦教！」

「嘿，你說得倒是輕鬆。」我冷笑一聲，之後便閉上眼睛，沒有答話。拉哈伯見狀，便坐回位子上。

拉哈伯說得對，一場惡鬥正在意大利等著我，我現在需休息一下。

無奈閉上眼睛不久，機艙服務員甜美的聲線便傳入耳中：「各位乘客，我們已到達佛羅倫斯國際機場……」

抵達佛羅倫斯時，已是當地早上，天空剛現曙光。

我們在機場內免稅店「買」了一些物資後，便決定先入住市中心的旅館，因為羅虎並不知道佛羅倫斯分舵的位置，我們只能自行打探。

剛走出機場，便看到不遠處停泊著一輛計程車。

「先生，請問有沒有值得推介的市中心旅館？」我一臉笑容，以意大利文跟司機說。

「啊？是外地遊客吧？」司機親切的問道。

「對，我們從香港來的。」我笑道。

「你的意大利文很好啊！」司機豎起大拇指，笑道：「這樣吧，我帶你們到費索酒店，那兒設施齊備，看到不錯的風景，不少外國旅客都入住其中。」我聞言點頭說好。

車子發動後，煙兒小聲跟我說：「大哥哥，想不到你會說意大利文呢。」

我微笑不語，其實我對意大利文一竅不通，真正精通的是拉哈伯。

剛才和司機的對話，全是他用傳音入密跟我說，然後我一字不差的複述出來。

車子一路向南行駛，沿途風景優美，四周都是矮小的房舍，唯獨遠方一座教堂的圓頂特別宏高，據司機所說那是聖母百花大教堂，是佛羅倫斯的名勝。

駛了差不多半個小時，計程車最終在一家三層樓高，裝潢簡樸的旅館前停下來。和熱情的司機道別後，我們便攜帶行李步進旅館。

我們要了兩間位於頂層的套房，我、拉哈伯、子誠和羅虎共用一間，煙兒則獨自住在隔壁。安頓好後，我們叫來五份午餐，然後在房中邊吃邊談。

「你真的不知道這兒分部的位置嗎？能不能跟那李鴻威聯絡上？」我啃著麵包問羅虎。本來我和拉哈伯是打算把羅虎滅口，子誠卻心有不忍，替他求情，我們只好饒他一命。為了不讓他洩露行蹤，我們只好把他也帶到佛羅斯倫。

「不，我真的不知道這兒分部所在。」羅虎狼吞虎嚥的吃著意大利粉，一邊搖頭說道：「我也沒有李鴻威的聯絡方法。」

「既然無用，那就別浪費我的食物。」我罵了一聲，然後屈指在他腦則一彈。羅虎悶哼一下，便即暈倒，手上的意大利麵全倒在身上。

「你倆在這兒休息一會吧，我們到了晚上再一起出動。」我轉過頭向煙兒和子誠說：「待會兒，我會先跟拉哈伯出去打聽一下，你們得好好看守這傢伙。」煙兒和子誠聞言，連聲答應。

飽餐過後，我和拉哈伯收拾好後便準備出發。

臨行前，我看見子誠獨自一人在陽台倚著欄杆發呆。

我慢慢走到他身旁，他看到我，微笑一下。

「就快能替你妻子報仇了，緊張嗎？」我淡然問道。

子誠點頭說道：「有一點兒。」

「殺掉那個李鴻威後，有甚麼打算嗎？」我問道。

「打算？當然是跟隨你和拉哈伯。」子誠訝異的道。

「我們雖立了十年盟約，但當同伴可不需要無時刻陪伴在旁。你幫你妻子報仇後就可回復自由了。」我笑道。

子誠搖搖頭，說：「不，我已經下定決心和你們在一起。」

「為甚麼？」

子誠沒有回答，只看著遠方，問道：「你可知我小時候的夢想嗎？」

我笑問：「當個好警察？」

子誠搖搖頭，露出天真的笑容，說：「跟很多男孩一樣，我從小到大都很喜歡看日本動畫，每每看見那些勇者駕駛機械人跟入侵地球的怪獸大戰，總是感到熱血沸騰。」

「那你的夢想是保衛地球嗎？」

「對，那是小時夢想。可是長大以後，就知道鐵甲人和高達只是活在我們腦海中。為了維持正義，我便跑去當警察。」子誠右手把玩項頸上的條十字架項鍊，語氣忽然溫柔起來，「一直到跟若濡相遇，我才重新改變夢想。我希望能永遠保護若濡，使她不受傷害。」

「你跟她是怎樣認識的？」我笑問。我知道只有提起他妻子，才能使子誠保持鬥志。

「還記得那年我才剛從學堂畢業，還只是一名軍裝巡警。有天在巡邏時，忽有一名很漂亮的女生走過來，向我問路。」子誠想了一會，一臉幸福的道：「本來我對那區街道十分熟識，誰知那女生原來是日本旅客。我不懂日語，而她英語又不太好，我倆指手劃腳，費了很大的勁才把意思說得明白。到了最後，兩人都忍不住相顧大笑。」

「本來和她分別後我都沒想太多，怎料第二天巡邏到同一地方時，竟發現她獨自一人在那兒等我。」說到這裡，子誠忽然傻笑，道：「我是一個很容被感動的人。那時看到她一個女子在街頭呆等，發現我時立即笑得極為燦爛，我也顧不得自己還在當值，便走上前去和她相認，而且交換了聯絡方法。」

「真是有趣。」我微微一笑。

子誠摸著頭，樣子有點不好意思，笑道：「後來她回到日本，我們仍有保持聯絡，與此同時我在香港努力惡補日文。每逢假期就去日本找她，她也不時來港探望我。久而久之，我們就自然而然的開始，自然而然的結婚了。」

子誠說到最後，聲音卻有點兒走調。

我知道他是憶起現在和妻子人鬼殊途，一時感觸，於是拍拍他的肩示意安慰，問道：「但是這跟你當我們的同伴有甚麼關係？」

子誠擦了擦鼻子，強笑道：「若濡已經不在，我保護她的夢想已不能再繼續。警察的工作我又辭去，現在我只好重拾兒時夢想，跟你們一起保衛地球。」說到這裡，子誠自己也忍不住大笑起來。

我笑道：「我們實是逼不得已，也不是為了保護人類。只是地球滅了，魔鬼們都難以活下去。」

子誠這時仰天嘆了一聲，道：「這幾天拉哈伯都跟我說了許多關於魔鬼和天使的事，可是我聽在耳中，只覺得像神話故事般虛無縹緲，想來我心底裡還是將自己視作人類。」

「這也難怪，你才當魔鬼不久。」我笑道：「慢慢來吧，你很快就會適應。」

怎料子誠搖搖頭，說：「我希望永遠都不會適應，我始終都不想成為魔鬼。人性嘛，還是保留了比較好。」我笑了笑，沒有回答。

「話說回來，我對你的認識也不太多，不如你說說自己的事吧。」子誠問道。

「我嘛……自小父親拋妻棄子，母親意外過世，繼父更不知何故想殺了我。」我看著遠方，頓了一頓，道：「連一手培訓我成魔鬼的師父，也在半年前死了。」

「對……對不起。」子誠一臉歉意。

「我早就釋然。反正我是魔鬼，身邊總會發生不幸的事情。」看到子誠還想繼續說甚麼時，我笑著打斷他，道：「好了，再說下去太陽都要下山了，待這次行動結束後，我們再互相加深認識吧，同伴。」

「好的。」子誠笑著點頭，「同伴。」

離開酒店後，我和拉哈伯來到佛羅倫斯一家規模不小的賭場。

因為大戰在即，我必須吸收大量能量，好應付接下來的激戰，而賭場是一個吸收能源的好地方，因為每個進入賭場的人，都懷著巨大的慾望。

賭場內污煙瘴氣，人聲鼎沸，每張賭桌總圍著不少賭客。每個人看著桌上賭局，不時發出叱喝聲，神情緊張之極。

我在賭場走了一圈，好讓拉哈伯觀察各人身上的能量狀況。

拉哈伯這次隨行只是替我鑑別人們身上的能量份量，因為估算壽命數值非常講求經驗，我此刻還學不來；而拉哈伯自從成為魔鬼後，一有機會便會跟人類交易，吸收他們的生命，所以他現身藏的能量非常龐大。

據拉哈伯自己說，即便他從現在開始不再獵食壽命，本身儲藏的能量足夠他支撐到第四次天使大戰。

假設地球還在的話。

「小諾，那人身上有七十年的能量。」在我懷中的拉哈伯長尾遙指一名禿頭中年華人胖漢。

胖漢看來只三十多歲，身上贅肉甚多，油光滿面，正在一張賭桌上玩廿一點。

我徐徐走近胖漢，才觀察了數回合，便發現他運氣甚差，每次得到的點數總是跟莊家的差一點兒。

「廿一點，莊家勝！」

胖漢又輸了一次。

胖漢連聲咒罵，看來在這桌上已輸了不少錢，只見他拿起籌碼便欲離開。

我把他按回座位，坐到他旁邊，拍拍他的肩笑道：「老海，想不到竟在這兒碰到了你啊！」

胖漢一臉疑惑，甚有戒心的問道：「你是誰啊？我可不認識你。」

「哈哈，真會說笑話。」我笑著在他耳邊輕聲說：「那莊家在作弊。」

「難怪！」胖漢聽後雙目精光大現，惡狠狠的瞪著莊家，嘴巴倒不忘配合我，道：「原來是小劉哥，這兒煙霧太濃，害我剛才看不清楚了。」

我暗暗好笑，事實上那莊家並沒作弊，我說謊只是為了讓他留下。

我小聲跟他說道：「我可以替你把輸掉的籌碼贏回來，還再多贏一倍。」

胖漢聞言大是興奮，隨即又一臉狐疑，「你有甚麼目的？」

「我不為甚麼，只不過是看不過眼而已。」我朝他笑道：「怎麼樣，害怕了嗎？那你把我的話忘掉就行。嘖，還以為是條好漢，原來不過是個無膽鬼。」

胖漢中了我的激將法，立時氣得哇哇大叫，說道：「好！老子就信你一次！如果你敢輸掉一個籌碼，老子就要了你的命！」

「好！」我笑著反問，「但相反真的如我所言贏了呢？」

「老子把命給了你！」胖漢豪聲說道。

「一言為定！」我笑著說道，同時打開「鏡花之瞳」，將賭桌上周圍的人都瞧上一眼，「要牌吧老海，待會你一定會高興死了。」

其實剛剛我將胖漢按回座位上時，手指縫間暗藏了一枝細針。當我拍他的肩時，針輕輕刺破他的皮膚，所以尖端殘留著一點兒胖漢的鮮血。

接著，我迅速將針沾有血跡的一頭刺進自己手指，使我和胖漢的血相互混和，達成訂下契約的條件。

之後，他說如果我贏了就把命給我，便時成了契約內容。

接下來的賭局我們當然大獲全勝，胖漢面前的籌碼轉眼已堆積如山。

胖漢由起初的難以置信，漸漸變成興奮無比，現在更是意氣風發，一臉得意。

「小哥，你真是我的貴人，若不是遇上你，我的錢一定會被這雜種騙光，」胖漢感嘆道：「待會兒你就把錢拿走一半吧。」

「我早說了，我只不過是看不過眼。你的錢我不會拿走分毫，這局完了我就會走。」我邊笑邊接過發牌員遞來的牌。

是梅花七。

如果這一局勝了的話，那麼胖漢的籌碼便會比原先的剛剛好多上一倍。

「不會吧？小哥你多少拿一點吧！」胖漢訝異的道。

「我一定會拿，不過不是拿你的錢。」我將第二張牌揭開，是一張紅心七，加起來是十四點。

「那你想要甚麼？能做到的我都會盡量幫你。」胖漢子拍拍胸脯說。

「你忘了剛才的說嗎？」我看著他笑道：「你說過假如我將你的籌碼悉數贏回，並多賺一倍的話，你就會把命給了我啊。」

說罷，我看了看手中的牌子，是紅心三。總數成了十七點。

胖漢聞言強笑道：「小哥，我說說而已，我的錢你就儘管拿去，這都是你應得的。」

我瞇眼笑看著他，道：「男子漢大丈夫，說過的話就得算數。」

我得到的第四張牌子是黑桃二，四張牌加起來是十九點。

現在莊家的牌面，是紅心十和黑桃十，剛好多我一點。

這樣的話，我要的最後一張卡牌，必定要是一或兩點，才可取勝。

胖漢霍地站起來，臉色蒼白的看著我，顫聲道：「你……你想幹麼。」

我把他拉回座位上，笑道：「人生自古誰無死，坐下來吧！」

我將還未揭開的最後一張牌子，遞到他面前，道：「這張牌一定會是紅心 Ace，如果你打開的話定能獲勝，那時你的籌碼就剛比原先多了一倍，但代價是甚麼……也不用我多說了。」

說罷，我起身便走。

胖漢急忙問道：「小哥，你去哪兒？」

我沒有回頭，邊走邊說：「揭牌與否，是生是死，你就自己決定吧。」

胖漢在我身後大聲叫喚，可我沒加理會，只是朝後揮揮手，便帶著拉哈伯走出賭場。

在賭場忍受完好一陣子的污煙瘴氣，再次呼吸到大街上的清新空氣教我感到格外舒服。

看看時間，原來已是傍晚，四周街燈已亮。

拉哈伯從我的衣領中竄出，坐在我肩上問道：「小諾，剛才你自己把牌子揭開就是了，為甚麼要多此一舉，讓那肥豬揭曉？」

我舒展雙手，同時笑道：「我也不知道，或許是想給他一個機會吧？」

拉哈伯皺起眉頭，道：「人類的貪念遠超你所想，即使是蠅頭小利，他們都不會放過。這七十年的能量，你是拿定了。」

我沒有說話，只朝他笑了笑，但忽然之間，我感到精力充沛，周身舒暢無比。

「人類，真是無藥可救。」

我搖頭苦笑，提步離開傳來尖叫聲的賭場。

第十二章——魔教分壇

第十二章 魔教分壇

馬不停蹄地走了數個賭場後，我身上積存了二百七十多年的生命能量，應該足以應付這次在意大利的戰鬥。

除了賭場，我們還查訪了城市中其他撒旦教徒有可能出現的地方，就連佛羅倫斯裡大大小小的教堂我們都查探過，但始終打聽不到任何關於撒旦教的消息，更遑論撒旦教分部的位置。

這晚天空陰雲密佈，星月皆沒入漆黑之中，看看時間已是晚上九時許，但我們還是找不到撒旦教的蛛絲馬跡。

「難不成那羅虎欺騙我們？」我疑惑問道，心下越想越有氣，打定主意回去後要讓他嘗試一下我的厲害招數。

誰知拉哈伯搖搖頭，道：「不，羅虎恐慌的神態沒有作假，他應已道出所知，可是這撒旦教實在保密到家，其分部位置似乎不是人人可知。」

「那怎麼辦？徒勞無功的回去嗎？」我向拉哈伯問道，心下想起在旅館休息的煙兒，不知道她是不是還在哭。

拉哈伯輕搖尾巴，笑道：「我們找不到他們，就讓他們主動來尋我們吧！」

我不明所意，卻見拉哈伯以尾巴遙指遠處的佛羅倫斯大教堂，道：「上去那教堂的頂部。」

我依言帶著拉哈伯跑到那大教堂處，來到時發現大教堂已經關門。

雖然四周還是燈火通明，但附近早已沒人，駐院的神職人員亦一早就寢。

我悄聲跑近教堂，看準圓拱頂部，一躍而上，雙腳正好落在頂點之處，沒發出半點聲響。

佛羅倫斯大教堂算是本地少數的高大建築，站在教堂顛峰處，佛羅倫斯的夜景，一覽無遺。

「可惜現在不是欣賞美景的時候。」我向肩上的拉哈伯問道：「你讓我們上來是想散發魔氣，引那些撒旦教眾現身吧？」

在香港時，我和拉哈伯曾因發出魔氣而被撒旦教眾尋上，因此我們推想，撒旦教早已研製出能探勘魔氣的儀器。

看到拉哈伯點點頭，我也事不宜遲，收斂心神，運功把魔氣散發出來。

也不見拉哈伯有任何動作，一股比我邪惡濃郁的魔氣，突然便從他小小的貓軀洶湧而出。

我們二人的魔氣此起彼落，相互振盪重疊，瞬間便將之散落至佛羅倫斯的所有角落。

魔氣遠遠送出去，只驚得四下獸鳥驚散，嬰兒啼哭。

如此持續散發魔氣片刻，忽然，有三道黑影在東北方遠處，踏著樓頂迅速朝我們跑至。

「終於來了。」拉哈伯陰森森的笑道，魔氣同時消散無蹤。

三道黑影行動迅速，不消一會便已跑到大教堂的樓頂。但見來者一身黑色貼身衣服，身上散發著不弱的魔氣，黑夜中更見三人的左眼都閃爍著妖異紅光，原來都是魔鬼。

三人跑到距離我們百米左右便已停下，神色漠然地監視我們。

我利用拉哈伯傳音入密教導的意大利文笑問：「三位都是撒旦教的吧？這次驚動你們，實是有事相問，不知道三位可否告知你們本地分部的位置呢？」

為首一名中年白人，竟口講中文，冷冷的說：「畢永諾，不用裝模作樣了，你的底細和來意，教主早已告訴我們，你肩上的黑貓就是七君拉哈伯吧？」

拉哈伯見身分被揭穿，便不再隱藏，冷笑道：「既然知道我是七君，便應識趣，還這般囉嗦？三句之內不交出地址，我就先斷你的雙臂！」

那人似乎毫不懼怕，一臉傲然道：「七君又如何，我教主可是眾魔之皇，你也不過是他手下叛徒，還竟敢威脅我？」

拉哈伯沒理會他，只朝我說道：「唉，不過是隱居了一段時間，想不到現在的魔鬼都變成白痴。」

我沒有答話，只是笑問那白人：「你的中文說得很好啊，當了魔鬼很多年吧？不然不會如此流利。」

白人冷哼一聲，道：「三百年的修為，豈是你這毛頭小子能比擬。」

「唉，三百年的修為，就這麼毀於一旦真是可惜。」我故作可嘆，可是仍舊笑容滿臉。

「你在說胡說甚麼！」白人怒道，想伸手指罵，卻發現雙手不知何時，已經跌在地上！

白人看著教堂牆身，那些被斷手畫出來的血紅書法，一臉愕然。

「再一句廢話，我讓你變成太監。」拉哈伯打了一個呵欠。

其餘兩名黑衣人見狀大怒，身上魔氣忽盛，卻又忌憚拉哈伯，一時不敢出手。

那白人強忍著斷臂之痛，氣虛力弱的問道：「你想怎……」

一語未休，白人的口忽被一條血淋淋的東西塞滿。

「第五句。再說下去，我讓你多吃兩條。」拉哈伯冷冷的道，目光卻放在遠方景色，一臉悠然地欣賞。

三人顯得甚是惶恐，因為他們即使留上了神，也完全捉摸不到拉哈伯的動作！

這時白人已經學乖了，含著自己的陽具不作一聲，只是不斷朝身旁的同伴打眼色。

其中一名禿頭漢誠惶誠恐地說：「兩位，不是我們不想說，只是說了出來，我們三人都得死，希望兩位放我們一馬。」

我朝著禿頭漢微笑道：「可是你們現在不說也要死啊！相反說了出來，我們可以保你三人平安。」

禿頭漢神色慘然的說：「我們絕對不能背叛教主。」

這時拉哈伯忽然問道：「被『血契』所縛？」

見禿頭漢點點頭，拉哈伯思量半晌後，便淡淡地說：「你們兩人先回去，對你們的頭兒說找不著我們。太監，你留下來。」

二人聽得拉哈伯放過他們，臉上露出欣喜之色，隨之又一臉擔憂，看來是怕回去會受責罰。不過，二人微微點頭道謝後，還是轉身飛也似的跑開。

誰不知才走了數十米，二人正躍起跨越一層樓房時，頭顱忽然「轟」的一聲，同時炸開！

兩具無頭屍體，就在半空伴隨血雨跌落在街道後巷中。

一些居民聞聲探頭觀看，赫然發兩具無頭屍，紛紛尖聲呼叫。

「走吧，早知道薩麥爾不會善待手下。」拉哈伯嘆了一聲，尾巴提著白人的頭顱向旅館方向疾跑。

早在兩名黑衣人轉身離去時，拉哈伯已一聲不響地收割白人魔鬼的頭顱，因為他早料到二人下場。

為免白人魔鬼突然身亡，腦子被毀，拉哈伯只好搶下殺手，因為就算他死了，只要頭腦健在，還是能讓「追憶之瞳」發揮功效。

在回去旅館的途中，我和拉哈伯都猜不透為甚麼撒旦教會如此殘忍，畢竟魔鬼人數本就不多，那二人頭顱被炸，兩顆魔瞳更是一併銷毀。

「或許是知道我們擁有『追憶之瞳』，不想讓我們透過這些手下透露分部的位置吧。」拉哈伯推想，也算是唯一合理理由。

多跑一會兒，我們已回到旅館。

因為時間急迫，我們沒有從正門進去，而是一躍來到房間的陽台上。

才剛踏進陽台，我發現室中只有煙兒一人，子誠、羅虎皆不見蹤影。

「大哥哥！」煙兒看到我們突然出現在陽台上，立即氣急敗壞的走過來。

「怎麼只剩你一人？子誠跟羅虎呢？」我連忙問道。

「你們走了之後，子誠哥哥一直在閉目養神，相安無事。但過了一會兒，他忽然站起來對著窗子怒叫，之後便殺氣沖沖地跑出去。我擔心他有意外，便將羅虎擊昏，然後追了出去。誰知一個不留神便不見了他的蹤影。我先行回來，怎料回到旅館，連羅虎都不見了。」煙兒一臉焦急，連珠炮發的說。

「調虎離山之計？」我看著拉哈伯，一臉疑惑。

「不，我想敵人是衝著子誠而來，撒旦教一直不肯放過子誠，看來他身上有些東西是薩麥爾非常渴望得到。」拉哈伯冷靜的分析。

我將白人太監的頭顱放在地上，不解的道：「明明我們行蹤保密，為甚麼還是會被他們找出落腳點？」

「這個不是主要問題，我們現在要先追上子誠。」拉哈伯淡淡的道：「沒了他的『追憶之瞳』，我們可永遠不知道撒旦分部的位置。」

我看著拉哈伯，問道：「怎樣追？我們又不知道他此刻人在何方。」

「我早料到他有機會失散，所以在訓練時偷偷在他身上植了一條我的毛髮，如此我便可循毛髮的氣味追蹤他。」拉哈伯抬起頭來，用力嗅了嗅，然後瞇眼笑道：「他好像跑到郊區那邊。」

「那就趕快去找他，不要讓他出事。」我忙道。

拉哈伯橫了我一眼，道：「哼，還用你說？」說罷瞧了煙兒一眼，道：「你跟煙兒兵分兩路，這小妮子該有辦法找到羅虎，你們趕快去尋他，看看能否藉此找出他們分部位置。記住，小心行事。」

語聲方休，但見黑影一閃，拉哈伯已身在百米之外。

我目送拉哈伯離去後，便轉頭向煙兒問道：「你真的能找到羅虎嗎？」

煙兒自信的點點頭，笑道：「對啊，我的方法其實跟拉哈伯的差不多。方才我離開之前，先將一條頭髮繫在羅虎手指上。但因那頭髮不是移植在他身上，所以我必須要集中精神，才能追蹤到頭髮的氣味。」

我聞言立時恍然大悟。

煙兒是妲己的女兒，那麼她便擁有一半的狐狸血統，基於動物本能，她的感官一定比常人優勝，何況煙兒一直有修煉，嗅覺一定靈敏異常。

「那就拜託你了煙兒，我們可要盡快找上羅虎。」我對她笑道。

煙兒點點頭，卻示意我先轉過身去。我雖不明所意，但也依言轉身背向她。

忽然，一陣淡淡幽香傳入鼻中，我同時感到背後一陣溫暖，卻是煙兒用手從後環套著我頸項，騎了上來。

煙兒突如其來的舉動，害我不禁臉紅，尷尬地問道：「煙兒，你幹甚麼？」

我身體感到一陣火熱，卻又不敢把她推開。

「大哥哥，我如此追蹤氣味，可得安安定定地集中精神，而且我每次能嗅到的範圍不大，所以邊走邊停的話很費時。」煙兒看到我害羞的樣子，卡卡笑道：「既然時間緊迫，我只好讓你背負我，一邊專心的搜索，一邊指點你方向。」

聽到煙兒這般說，我便連忙收攝心神配合。

我負著煙兒走出陽台，道：「你可以開始了。」煙兒應了一聲，便即沉默運功。

身後的煙兒傳來一陣濃烈的狐息和妖氣，沉寂片刻後，她忽然玉手一伸，遙指向左。

我二話不說，背著她隱隱的跑去她所指方向。

煙兒沿途一聲不響，只是伸手指示，不時改變方向，我緊緊跟隨其所指而行。

我腳步不停的飛簷走壁，穿過大街小巷，最後從市中心，跑到市郊北邊的荒林中。

在密不見天的荒林內，踏著落葉跑了好一會兒，忽然，眼前出現一片空地，空地上又建有一座細小圓身教堂。

「大哥哥，我頭髮的氣味便是停留在那教堂之中。」煙兒擦了額上的汗，喘氣說道。

「圓形教堂？真是奇怪。」我慢慢走近，只見圓身教堂外表破舊不堪，大門半開，似乎荒廢了好一段日子。

林中偶爾傳來幾聲貓頭鷹的怪叫，為這古舊教堂添上一點詭異。

我聽得煙兒的聲音有異，連忙把她放下來，赫見她汗如雨下，本已蒼白的臉孔現在更是無半點血色。

我焦急問道：「怎麼了？你的身體很虛弱。」

煙兒朝我微笑，虛弱地道：「煙兒沒事，只是用功過度，有點脫力罷了，咱們快點進去吧。」

我點點頭，便扶著她輕聲走近教堂的窗框，想先偷窺一下堂內情況。

但見教堂內只有十排長椅和一個不小的講台，內裡卻空無一人。

我們走進教堂，煙兒指示我帶她來到左方第六排的長椅旁，道：「大哥哥，這就是我的頭髮了。」

說罷，煙兒伸手往椅上一拈，果見她雙指間有一條細長黑髮隨風飄逸。

「羅虎的蹤影就在此絕。」我喃喃自語，環視教堂一片，「這教堂必有古怪。」

放下煙兒在長椅休息後，我四周看看教堂有沒有機關，可是始終沒有發現。

「難不成要我將整坐教堂夷為平地？」我伏在地上敲打著地板，恨恨的道。

正當我感到苦無對策時，煙兒忽然叫道，「大哥哥，你看！」

我抬起頭來，順著她所指方向一看，只見講台後的牆壁上，鑲嵌了一塊琉璃圓窗。

窗子正中刻了一個五芒星，其中又有一小圓圈。

「撒旦教的標誌。」我冷笑道，「看來撒旦教的分部，就是在此！只不知真正入口在哪兒。」

「撒旦教的標誌？但好像上下反轉了。」煙兒看著琉璃窗疑惑的道。

撒旦教的標誌本應是兩角向上，三角向下，但現在卻是三上二下。

正當我在推算當中原因時，只見煙兒低頭思量，喃喃自語，忽然抬起頭笑道：「大哥哥，我知道入口的位置了！」

我笑道：「真的嗎？」

「嗯！煙兒曾聽媽媽說起一些撒旦教的事情，知道他們某些常用的藏秘手法。」煙兒頓了一頓，指著那些長椅說道：「這裡的十排長椅子，其實剛好能合成一個大五芒星。」

隨即她又指著那琉璃圓窗，道：「而這窗子的奧妙，應該只會每天日光影照到它時，才會出現。」

經煙兒的提點，我立時醒悟！

這窗子的標誌之所以正反倒轉，想來是要掩人耳目。

每當有光線從教堂外穿透窗子時，若有人站在教堂大門，便會看到投射在地上的窗子倒影，正是原本的撒旦教標誌。

「窗子的倒影剛好位於那十條長椅列成的大五芒星中央，加上這教堂本是圓身，這樣子又形成另一個撒旦教標誌。」煙兒補充。

「一個接連一個，是無窮無盡的意思嗎？」我冷笑道，接著轉頭問煙兒：「那麼真正的入口在那兒？」

煙兒看了看教堂中央，道：「我想，當兩個大小標記完美形成時，投在地上的窗子倒影中，那五芒星內的小圓會是關鍵。」

我一邊計算，一邊走到教堂的正中央，果然發覺那兒有一個不易見到的小圓洞。

我伸手摸索那黑洞，卻發覺那圓洞甚淺。

「看來這兒就是入口，就不知怎樣打開。」我摸了摸下巴，又轉頭跟煙兒道：「煙兒，你休息一會兒後，便先回去旅館。」

怎料煙兒搖搖頭，堅決的道：「不，煙兒要和大哥哥一起下去。」

我柔聲勸道：「下面可能十分危險。你現在身體如此虛弱，我怕你會有所閃失。」

煙兒笑道：「有大哥哥你保護不就行了？」

我無奈苦笑道：「煙兒啊，這次真的是深入龍潭虎穴，下面說不定機關重重，你有甚麼損傷我怎跟你媽媽交待。」

煙兒聞言，神色淒然的道：「原來……大哥哥你覺得煙兒是累贅，那我自己一個走好了。」說罷更掩面而泣！

我見狀連忙揮手說道：「呃，我不是這個意思，你跟隨我就好了！你別哭了好不好？」

聽到我答應她伴隨後，煙兒立即破涕為笑，道：「早知大哥哥你怕女人哭！」

看到她原來是故裝傷心，我只感哭笑不得，「你待會記住，若有危險，掉頭就走！」

「煙兒才不會拋下大哥哥，你有危險我定不離不棄！」煙兒用帶有稚氣的聲音誠懇地道。

我聽在耳內，不禁有些感動。

「那好吧，你待會要緊緊跟上，不要離開我三步之外，知道嗎？」

煙兒點點頭，隨即走過來，看了看地上小圓洞，問道：「這入口似乎要鑰匙來打開呢。」

「嗯，可是我們沒有鑰匙。」我沉思半晌，忽然靈機一觸，笑道：「我知道鑰匙是甚麼了！」

「真的嗎？那是甚麼？」煙兒喜道。

我伸手在洞中摸索，同時道：「如果我沒猜錯，鑰匙應該是魔瞳。」

「為甚麼是魔瞳？」煙兒疑惑道。

我指著那圓洞，道：「這圓洞大小恰恰就是一顆眼睛，而且我記得拉哈伯當初跟我解釋撒旦教標誌時說過，五芒星中央的小圓代表魔瞳，所以我推測這小洞正是用以擺放魔瞳。」

煙兒恍然，旋即無奈的道：「可是我們現在沒有多餘的魔瞳，總不成將大哥哥的『鏡花之瞳』挖出來。」

我向她狡猾一笑，然後從衣袋中拿出一顆血淋淋的眼睛，眼睛的瞳色正是魔瞳特有的鮮紅。

煙兒一臉驚訝的問道：「這魔瞳從哪兒來？」

「你忘了我剛才提回來的人頭嗎？那人本是魔鬼，剛才離開前我已經挖走他的魔瞳。」

「原來如此。」煙兒笑道，「大哥哥果真細心。」

「好了，你先站開一點，我不知這顆魔瞳能否真能打開甚麼通道，說不定反會引發致命機關。」我慎重的道。

煙兒依言站開數米，我同時喚出「鏡花之瞳」，以作保險。

我將那魔瞳輕輕放進圓洞裡，但見魔瞳滑進洞中，絲絲入扣，接著忽然旋轉起來，激起一陣血花，我見狀便即退後數步。

整個教堂內寂靜無比，只有魔瞳自轉的摩擦聲，除此之外，卻別無動靜。

「我們失敗了嗎？」煙兒問道。

當我正想答話時，忽然，一絲極細微的聲響從圓洞下傳出！

「入口要出現了。」我笑道。

一語方休，只見一塊以魔瞳為中心，直徑兩米寬的圓形地板，忽以極快的速度下降！

我連忙跑去抱起煙兒，回身跳到那已下降數米的板塊上。

才一站穩，頭頂的出口已被封住。

「險些趕不上。」我呼了一口氣，卻發現煙兒神色古怪，似笑非笑的看著我，我才驚覺自己正雙手橫抱著她，狀甚親。

我連忙放她回地上，一臉通紅。

煙兒見狀，嬌笑道：「大哥哥，被你這般抱住真舒服呢！」

我尷尬的道：「你就不要再作弄我吧！」

煙兒呵呵地笑道：「大哥哥你真的很有趣啊。」

說罷，她還伸出白玉般的手指戳我的臉，我只得無奈苦笑。

我們站立的圓形地板一直快速下降，而那顆魔瞳亦一直在轉。

大概久了一分鐘後，我腳下一震，眼前忽然豁然開朗，卻是到達了一個地底層。

但見在我倆面前有一條走廊，走廊兩旁每隔一段距離便安了一盞油燈，火光筆直延伸，一時卻看不到盡頭。

我俯身想取回地板的魔瞳時，卻發現那魔瞳已變得血肉模糊，想來是因為自轉時摩擦過度。

「真是浪費。」我無奈地說，「走吧，前面定有古怪！」

我們沿著走廊一直走，一路上只見上下左右皆佈滿浮雕。

我仔細一看，發現那些雕刻原來全都是描繪地獄的景況。

栩栩如生的雕刻散佈四方八面，配合閃爍不停的火光，竟使人產生一種置身火海的錯覺！

「大哥哥，這兒的氣氛有點兒奇怪啊。」煙兒皺起眉頭道，顯然看得有些不安。

我輕輕搭著她的肩膀，笑道：「別怕，有我在。你先閉上眼睛，我領著你走就行。」

煙兒朝我點頭淺笑後，便真的閉上眼，挽著我手，繼續前行。

如此又走了數百米，忽有一絲極細微的簫聲，傳入我的耳中。

簫聲雖小，卻連綿不斷，似輕笑，似嬌嗔，甚是好聽。

「煙兒，你聽到簫聲嗎？」我問道。

煙兒閉眼側頭，傾聽片刻後，搖頭說道：「沒有啊。」

我「嗯」了一聲，想是因為魔瞳關係，此刻我的耳力比她要好。

又多走了一會兒，只聽得簫聲漸大，這時連煙兒都能聽到。

「這簫聲……怎麼這般怪異？」煙兒疑惑道。

此時，我們見到前方遠處有一面大門，門後聲音甚是吵雜，想來裡頭正舉行撒旦教的聚會。

我們加快腳步，越走近大門，簫聲越是清晰。

當我們站在大門後的時候，簫聲更是毫無保留的傳入耳中。

但覺簫聲纏綿婉轉，變化不斷，像一女子在時而軟語低訴，時而哀怨嘆息，時而嬌媚呻吟，實是柔靡萬分，勾魂引魄。

「煙兒，進去後切記不要離開我身邊。」

我輕聲道，正想悄聲推開大門偷看內頭情況時，煙兒忽然從後抱住我，膩聲道：「大哥哥，人家永遠不會離開你！」

我轉頭一看，赫見煙兒她臉頰嬌艷欲滴，櫻唇微張，嬌喘連連，雙眼似怨似嗔的看著我，神態甚是誘人！

想是煙兒她剛才用功過度，元氣未復，定力一時大減，受那妖異簫聲的影響，變得慾火中燒。

「煙兒，清醒一下。」我伸手輕拍她的臉兒，誰知煙兒忽然頭一側，用她的櫻桃小嘴，溫柔地吸啜我的手指，眼神挑逗地看著我。

那濕潤的感覺從指頭傳到腦中，使我原本堅定的意志產生缺口，那銷魂誘人的簫聲立即乘虛而入！

腦內雖然有一股聲音叫我清醒，可惜那聲音卻隨簫聲的起伏，漸漸變小。

我的身體開始變得燙熱，神智漸覺迷離，手竟忍不住想將煙兒一擁入懷。

我知道繼續迷糊下去，定會忍不住和煙兒親熱起來！

趁著腦中尚有一絲清明，我也顧不得行跡敗露，深深呼吸，一把抱住煙兒後，便伸腳蹬開大門！

我抱著煙兒，一躍來到門後，卻立時被眼前景象嚇了一跳。

但見眼前是一個寬大的廣場，場中容立了數千人，可是每個人竟都一絲不掛，或三或兩的瘋狂交歡！

這時簫聲已因我們闖入而停止，可是數千人依然故我，落力忘我地交合，響亮的呻吟喘息聲此起彼落。

簫聲停止，煙兒神智頓時清醒，看到眼前淫邪景況，羞得把頭直塞進我懷裡。

我還在錯愕之際，心裡突然閃過一絲異樣。

「來者何人！」

突然，一道挾勁的風，隨著怒喝聲從我頭頂傳來！

我聽得風聲有異，連忙向旁一閃，只聽得「碰」的一聲巨響，原本站立的位置竟被擊陷，一時塵土飛揚！

我抱住煙兒向後連躍數十米後，這才站定身子，看清楚襲擊我的人。

只見大門前，有一人手持一枝短銅簫，向我們怒目而視，看來剛剛的簫聲正是由他所奏。

那人身穿無袖戰服，面目難辨，我細看下才發覺他滿臉濃密黑毛，似乎是名多毛症患者。

我留意到毛人身旁有一個一米深的凹陷處，正是我剛才所站位置，誰不到他的一擊竟有如斯威力！

「你們的教主在哪兒？」我聽得他剛才說中文，於是也用中文笑問。

「你是誰？膽敢擅闖聖壇！」毛人一臉怒氣，不答反問。

「嘿，我的身分你待會兒便知道，你先叫你們教出來吧！」我笑道，心下卻暗自戒備。

方才那一擊之力實是恐怖，換了是我要在地上弄出差不大小的巨洞，可要使出六成力量才行。

那毛人出手後呼吸依然緩慢，顯然未盡全力，而且他瞳色如常，並沒打開魔瞳，可見他實力非同小可！

「無知小子，膽敢在此撒野！」毛人喝羅，縱身一躍，銅簫朝我頭顱又是一敲。

我再次向後閃避，誰知毛人這轟烈一擊竟是虛招，他才剛踏上地面，驚人氣勢頓時消失，身形順勢朝我一滑，銅簫由揮打變成前刺！

這時我後退之勢已盡，不得不空出一手來接招。

雖然毛人這一刺沒剛才那般氣勢浩大，但我知銅簫包含的勁道只會有過之而無不及。因此，我連忙催動魔氣，將功力提升到七成，硬生生抓住銅簫！

「噫？」毛人一臉驚奇，顯然是想不到我抱住煙兒，還能徒手接下他的一擊。

我見他心神稍分，一腳立時朝他下陰踢去，另一腳則同時用力在地上一蹬，想借勢搶過銅簫。

「妄想！」毛人怒喝一聲，不避不閃，我只覺銅簫傳來的力道倏地暴增，竟要將我反拉過去！

我抱住煙兒，不敢和他正面交鋒，只得急忙鬆手躍後，站好後才朝毛人笑道：「嘿，你這麼厲害，逼我不得不全力盡出。」

毛人冷冷一哼，道：「小子你也不賴，近百年來，你是第三個人能接下我一招而不死。」

「既然如此，我們就不必再打了吧？你快點叫你們教主出來，我有要事找他，這件事可是和你亦有關係。」

怎料毛人卻搖搖頭，狡笑道：「不，你激發了我的興致，我已有百多年沒痛痛快快地活動身手。難得找到一個對手，我一定要先跟你打上一場！小子，別那麼快就死掉啊！」

毛人說罷，便即揮著銅簫，殺氣騰騰的衝過來！

我連忙跳開，心下暗暗叫苦，莫說現在我抱住煙兒，就算兩手空空，和這實力強橫的毛人打起來，不使出全力的話定必難以取勝。

「喂！你先停下來！我手上抱有人，多不公平？」我邊跑邊叫。

毛人在我身後追趕，笑道：「你放下那娃兒，我保證不動她分毛！」

我搖了搖頭，胡亂說道：「不行，我和他人立了血契，現在可不能把她放下！」

「騙誰？」毛人忽然一蹤到我身前，逼得我急忙收步，駐足不前。

毛人一臉殺意，但笑意盈盈，顯然很是興奮，「這樣吧，我不用武器，只以魔瞳跟你相鬥，如何？」說罷，便將銅簫往腰間一插。

我還想藉詞蒙混，卻見毛人左眼一眨，瞳色倏地變成血紅。

忽然間，一股澎湃洶湧的魔氣從他身上如潮爆發，大廳上本正忙於交合的人，紛紛驚醒，全都爭先恐後、連滾帶爬的退到一旁。

我感受著毛人身上魔氣，心下驚訝無比。因為那濃烈無比的魔氣，我至今只在拉哈伯身上見識過！

我看著毛人，驚訝地問：「你究竟是誰？」

「嘿，我乃魔界七君，齊天大聖孫悟空是也！」毛人傲然笑罷，忽然魔氣一湧，瞬間變成一個道骨仙風的鶴髮道人。

「孫悟空？」我聞言呆在當場。

「呵呵，接本真人一招吧！」但見變了模樣的毛人，雙手左右斜飛，掌力軟綿，蘊含的後勁卻凌厲之極，竟是太極拳的「野馬分鬃」！

第十三章

地獄之皇

第十三章 地獄之皇

碰！

一聲巨響在我胸口響起，我身子同時被巨力抛離地面，向後直飛百多米才掉下來。雖然被震得五臟俱傷，可是我不敢有片刻停留，雙足甫踏地上，便即轉身疾跑。才奔了數米，一道黑影忽跳到我面前，竟是孫悟空化身而成的截拳道始創人，李小龍！

「我早說了不比試，你怎麼還這般陰魂不散？」我停下來，拭去口角的血跡罵道。卻見他用拇指擦擦鼻子後，一臉正氣浩然的跟我說道：「中國人，並不是東亞病夫！你是中國人，也不能當個無能懦夫！」

說罷，只見他單手一晃，我的胸口忽然一痛，竟是迅雷般的「寸勁」！

自從孫悟空打開了魔瞳後，他便不停變身，對我展開千變萬化的瘋狂攻勢。

身為魔界七君之一的他，實力確是非同凡響，雖然攻擊沒有拉哈伯般的陰險毒辣，但其力量變卻遠在他之上。

我雖然已打開「鏡花之瞳」，催動魔氣護體，可是每次被他擊中，骨骼內臟非折即碎。若不是運功加快魔瞳的復原能力，我早已重傷而死！

不過，孫悟空最可怕的，乃是他的魔瞳異能。

我雖不知他魔瞳的名字，但顯然其能力就是傳說中的「七十二變」。從張三丰開始，他已經一連變身成十二個武學宗師，我也因而嘗了各種失傳武學的恐怖滋味。變身後的孫悟空不單言行舉止改變，他繼承的武學更是比原本的功夫招數厲害十數倍！

在他毫無間斷的攻擊下，莫說伺機反擊，我光是閃避已顯得左支右絀，更何況我手中抱著煙兒，躲避起來更為驚險。可幸孫悟空信守承諾，始終沒有出手傷害她。

為免她有所閃失，我剛才乘孫悟變身一剎，將她推到廣場橫樑上，但代價就是吃了達摩的一記鐵砂掌。

我本計劃趁這次撒旦教眾在分壇聚會中，當著撒旦教眾面前，提出某個「證據」，揭開薩麥爾的真面目，讓群魔和教徒們都知他並非真正的撒旦。

無奈現在我被這武痴苦纏，又不知還有沒有高手伺候在旁，使我不敢消耗功力跟他正面對抗。

此時廣場中央，除了我們三人外便再無他人，那些一絲不掛的教眾早已被我和孫悟空紛亂澎湃的魔氣，嚇得躲到廣場周邊去。

每當我倆跑近，他們總是一哄而散。

因此，廣場上只剩下一堆黑色教服，以及一個個被孫悟空擊出來的坑洞。

中了那力道陰狠的「寸勁」，我的身體再次被擊飛十多米，只聽得「喀喀」數聲，卻是胸口肋骨第七次被清脆地擊碎。

我在半空中立時運功療傷，才站穩地上，本已粉碎的肋骨已經回復如昔，但那灼熱的痛楚仍然烙在胸脯上，徘徊不散。

我站在原地，心中連聲咒罵，瞪著正再次變身的孫悟空。

只見他反手抓抓面頰，容貌剎那轉轉，登時變成一名眉清目秀，留著黑鬍子的男人。

只見他步履飄浮，臉上神色似笑非笑，又帶著三分醉意。

「孫悟空，這次又變成了誰啊？」坐在樑上的煙兒，晃著雙腿，饒有趣味地問道。

煙兒雖一直坐在上面，神態自若，但其實甚是緊張，因為我聽得出她一直心跳劇烈，而且每當我遇險之時，總會不期然的驚呼出來。

「呵呵呵，我乃青蓮居士謫仙人，李太白是也！」孫悟空醉醺醺的笑道。

「李白？你變成詩人又有何用？難不成你覺得詩詞能對付我？」我笑道。

「小子……小子無知！我李太白素有『三仙』之名。」孫悟空狀似神智不清，怒道：「所謂『詩仙』、『酒仙』、『劍仙』，今天我就大開殺戒，讓你這黃毛小子嘗嘗我的劍法！」

「『劍仙』？你手中無劍，又怎能傷我分毫？別忘記！你說過不會用那銅簫！」

孫悟空忽然古怪一笑，道：「哈哈哈！小子錯之極矣，錯之極矣！武道有云：草木皆可為劍。我既號『劍仙』，劍術自是超凡入聖！今天就讓你大開眼戒，看看劍中極至，無形劍氣！」

一語方休，但見他右手食中兩指合攏，朝我一伸，我剛向後躍，一股劍氣竟不聞不響的貫穿我肩膀！

我大吃一驚，急忙發動身法，可這無形劍氣實在厲害，孫悟空只要動動指頭，便能朝我攻來。那劍氣無痕無聲，加上他那三分醉意，攻勢雜亂無章，沒跡可尋，教人難以躲避！

煙兒見情勢危急，連忙在樑上大呼小叫，意圖讓孫悟空分心，但孫悟空對她的胡言亂語始終不聞不問。

「棄我去者，昨日之日不可留！亂我心者，今日之日多煩憂！」孫悟空唸著詩詞，右手雙指亂舞，我的黑衣登時爆開無數小洞，身體處處散著血花。

「瘋猴！你真的亂了我計劃，使我煩憂！」我心下暗罵，繼續四處遊走，心下苦思著脫困之法。

如此閃避多片刻，我周身衣服已被他劍氣割得支離破碎，難以蔽體。

我忍不住大聲喝道：「孫悟空！你趕快住手，不然必定後悔！」

孫悟空摸摸那把黑鬍子，醉醺醺的笑道：「呵呵，李某本就天不怕地不怕，當年讓高力士為我脫靴，請楊貴妃替我捧硯，李某皆未有半分擔憂。你這毛頭小子，李某還會怕著甚麼？」

「你怎樣才肯收手？」我語氣無奈的問道。繼續這樣糾纏下去，還未等到鐵面人現身，我就會先被他累死。

「我知道，直到現在你只出了一半的勁，若你全力與李某一戰而不死，李某便會放過你和那娃兒！」孫悟空瞇眼笑道。

「孫悟空，不是我不願意，而是我不能。要是我全力以赴，這裡所人都得死！」我認真地說。

孫悟空聞言怒喝道：「狂妄！李某就不信不能逼使你出真功夫！」說罷，他雙指一擺，無形劍氣朝我又是一刺！

但這一次，劍氣終於落空。

「你還真是難纏，」我像幽靈般，忽然出現在孫悟空的身後，笑道：「看來不把你打倒，這遊戲永遠不完。」

孫悟空聞聲一驚，立時轉身，雙指快速亂舞，縱橫交錯的劍氣在我身上劃出無數傷口。

正確來說，是在我的殘影中，劃出無關痛癢的傷口。

「既然你如此想戰，」我再次出現在孫悟空身後，貼著他的耳朵輕笑道：「就讓我用八成力量跟你玩玩吧！」

一語未畢，我已一把抓住他的頭髮，奮力一按，將他的臉直轟在地上。

「碰」的一聲巨響，無數碎石從地上激起！

我不讓他有喘息機會，手依舊牢牢抓著他的頭髮，同時向前用力一拖，立時在地上拖出一道入地數米長的鮮紅血痕！

「我只出八成功力，你就招架不能嗎？」我放聲嘲笑，同時把手放開。

我一直避而不戰，是打算保留實力，因為鐵面人至今沒有現身，無奈孫悟空久纏不休，使我不得不認真出手。

此時，只見孫悟空雙手一撐，向後翻了一個筋斗後蹲在地上瞪視著我。

他的臉因為在地上拖行，已變得血肉模糊，左臉頰更是掉了一大塊皮，使骨頭都顯露出來。

我看著他爛掉的臉，負手笑道：「你現在又變成誰了？一臉血肉模糊，我一時認不出來。」

孫悟空哈哈大笑，忽然魔氣大盛，臉上組織以極快的速度重組。

但見他臉上血肉，急速交織，不消一會，已變成一名前額剃光，留著長鞭的清朝漢子。

孫悟空臉上沒有怒色，反而朝我上下打量，眼神滿是欣賞之意，道：「有趣有趣！能支撐黃某的攻擊到現在，可見不凡！小子，你究竟是誰？」

「不是早對你說了嗎？」我笑了笑，道：「我姓畢，名永諾。」

「不，黃某說的是你真正身分。」孫悟空搖了搖了搖頭，正容道：「能擋下黃某十三般攻擊的人，決不可能是無名之輩。」

「嘿，我說出來，你定必大吃一驚，但我真正身分，要等你們教主出現才能說。」我笑道。

孫悟空眉頭一皺，道：「你既然不肯對黃某明言，那黃某就只好用『佛山無影腿』，試探一下。有請！」說罷，只見他雙手一拍，便即擺一個架勢待我發招。

「黃飛鴻嗎？好！就看你的無影腿快還是我快。」我笑聲未止，已然展開身法，用比剛才還要快的速度，閃到孫悟空身後。

誰知變身成黃飛鴻的孫悟空沒了無形劍氣，但速度和反應反大幅提升。

我才搶到他身後，他的左腿已向後一伸，施展了一記「後撩陰腿」！

可惜，這一記踢擊雖然快絕無倫，但相比起我的身法卻又稍遜一籌。

「孫悟空，你的無影腿可還不足夠要我全力以赴啊。」我眼明手快地將他的腿捉個正著，兩手同時用力一扭，想把他雙腿扭斷！

不過，孫悟空似乎早已料到，身子順勢急旋，化解斷腳危機之餘，更用離心力使雙腿脫離我的掌控。

才一站定，我只見他已變成一名渾身肌肉糾結的巨漢。

「喝！」孫悟空猛喊一句日文，左手手刀應聲朝我肩膀劈下！

我聽得風聲急勁銳利，連忙舉臂擋格，誰知還未接下手刀，孫悟空竟在中途急變，變成一紅臉大漢。

「黑虎偷心！」只聽得他大聲叫喊，左手手刀化為擒拿手，一把抓住我；右手同時如蛇吐出，出其不意的擊中我胸口要害！

孫悟空的掌力雄渾，直把我擊至五臟翻滾，但我不顧傷勢，雙手反用力向他臉龐平推，企圖來個兩敗俱傷，怎料此時他臉容又是一變，身法提升，一閃已在數米開外！

「呵呵呵，這也只是在下八成功力而已。」孫悟空雙手結著忍術手印，陰側側的笑道。

我暗地裡運功療傷，臉上傲然笑道：「魔界七君，名下無虛，這瞬息萬變之技的確厲害。可惜這點程度，不痛不癢，你儘管放馬過來吧！」

孫悟空聞言，勃然大怒，殺氣騰騰的朝我奔來，途中竟每踏一步，變身一次！

被我惹怒的孫悟空攻勢變得更加瘋狂猛烈，變身速度更是快如輪轉，每一擊不等招式使盡，已然變身再攻，眼花撩亂得使我已算不出他總共變換多少身分。

雖然他每次變身的攻擊如上一招套路截然不同，可是這些五花百門的招式在孫悟空手下，竟變得融匯貫通，連綿不絕。

流水般的連環快攻登使我陷入絕境，身上連受重創，魔瞳的回復能力漸漸跟不上受傷速度。

本來我故作驕傲，是想惹他火光後，乘機用「鏡花之瞳」施展幻術。

怎料我激得他勢若瘋虎地攻擊後，莫說施展幻覺，我連瞧上他一眼也找不到機會。

情況若持續下去的話，我很有可能得命喪於此！

雖然心下焦急，但我只能夠默默等待機會反擊。這時，孫悟空又變成一名忍者，閃到我身前，五指成箕，朝我腰間快速抓去。

「看我的！」我猛喝一聲，沒理會他中路攻擊，朝他頭腦硬是拍出一掌。

但見他已攻出的手爪快速收回，轉往上格，及時擋下我的攻擊，接著容貌一閃，卻變成了一名大耳和尚。

「萬佛朝宗！」孫悟空吐氣大喝，聲若洪鐘，馬步跨穩，雙掌似緩實快的向我平推過來。

這一招雖然毫無花巧，可是當中蘊含的勁道竟是剛猛無匹，強橫的風勁竟壓得我身法一滯，硬生生受了這一掌！

剛猛的掌力使我胸骨盡數折斷，並把內臟刺得千瘡百孔。我胸口頓時劇痛難當，口中鮮血幾欲噴出。

孫悟空那無雙巨力本應把我擊飛，但我中掌一剎，忽然靈機一觸，顧不得中門大開，電光火石間牢牢抓住他的雙手。

「幹什麼？」孫悟空喝問，雙手出力，想把我揮走。

我卻朝他狡詐地笑，頭忽然向他一靠，同時運氣將口中鮮血，全噴在他臉上！

「卑鄙！」孫悟空怒道。

雖然我這招出其不意，但他反應甚快，在沾到鮮血前已閉上雙眼，左手同時向我揮來。

孫悟空他一手揮出，卻揮了個空，只得向後急躍，同時將眼前鮮血抹去。

當他回復視覺時，我已然消失在他眼前。

「躲到哪兒了？」孫悟空大聲喝問，環顧四周，卻尋我不著。

忽然，孫悟空的背後一痛，卻是已悄聲跑到他身後施襲！

他勃然大怒，想轉身反擊，身子卻完全突然動彈不得。

「噓，終於使你停下來了。」我拿著一整條血淋淋的脊椎骨，再一次出現在他的面前。

失去了脊椎支撐，孫悟空只能不情不願的無力倒地，變回原本的毛人模樣向我怒目而視。

我揮著手中沾著血肉的長骨，蹲下來笑道：「好一個孫悟空，竟逼使我動了九成力量，魔界七君，確是難纏。」

孫悟空「哼」了一聲，道：「你的確厲害，但若本大聖同樣用上九成功力，未必便會敗在你手中。」

我用脊骨拍拍他長滿粗毛的臉，笑道：「敗了就是敗了，誰教你不出盡全力，讓我有機可乘。」

我一邊說，一邊將手伸進他背部脊傷口中。

孫悟空見狀喝問：「你想幹甚麼？快把手拿出……啊！」卻是被我伸進他體內的手，捏碎他的內臟而痛得大叫。

「你一直死纏不休，害我白白消耗大量功力，不給你吃點苦頭，我心不舒服。」我對他邪笑，道：「孫悟空，本來我的真正身分要待薩麥爾出現後才公佈，但因為你的表現，我決定先讓你知道。」

孫悟空強忍痛楚，問道：「你究竟是誰？」

「孫悟空啊，你曾看過第幾層地獄？」

我笑而不答，反向他問。

這句話看似平平無奇，可是孫悟空聽在耳中，猶如霹靂般響亮！

只見他聞言大駭，雙眼瞪得老大，臉現懼色的道：「原來你是……你……但這怎可能……」

我拍了拍的頭，笑道：「對，我回來了。我的記性不好，快跟我說，你曾看過第幾層地獄？」

孫悟空喃喃地道：「第……第十四層……這怎麼可能？」

「嗯，第十四層地獄，『血池』對吧？但過了這些年，你意志力定有所長進，『血池』應該不會足以讓你害怕。嗯……就讓你到第十五層地獄走一趟吧！」我笑道。

孫悟空焦急的道：「不！不要！我知錯了！你放過我吧！」

我沒理會孫悟空的求饒，逕自閉上眼睛，默默運功，將魔氣壓縮到「鏡花之瞳」之中。

運功片刻，「鏡花之瞳」已積聚了龐大濃厚的邪氣。

當我再一次睜開左眼時，「鏡花之瞳」彷似活過來，不安分的左顧右盼。

忽然，它發現了孫悟空。

「鏡花之瞳」不再亂動，只是安靜地，瞧著惶恐的獵物。

因為臉上長毛的關係，我一時看不清楚孫悟空的表情，可是我卻感受到，他打從內心深處發出的絕望和恐懼。

「我早說了你必定後悔，但你一次又一次的攻擊，逼我不得不出手。」我笑道，頭慢慢朝他的眼睛靠近。

孫悟空雙眼無神，呆呆的道：「可是……我怎可能會想到……是你……」

我貼著他的雙眼笑道：「你從第十五層回來後若沒瘋掉，我再詳細的跟你說吧。」

一語方休，「鏡花之瞳」忽然瞪視著孫悟空的右眼，激烈劇震。

妖邪十足的魔氣從魔瞳中釋放，澎湃洶湧地席捲進孫悟空的思想領域當中！

「啊！」

無形的魔氣殘暴地充塞著孫悟空的身體，那種似炸欲裂的感覺使他痛苦得喊出聲來。

在孫悟空的視覺中，四周忽然變得酷熱無比，腥風撲鼻，一片無盡的暗紅山林憑空出現。

細看之下，他發現紅山竟是累累血骨推砌而成，而林子，卻是由無窮無盡的奇形怪劍所交織築構。

中人欲嘔的血腥味，不斷自這些沾滿污血的劍與骨上飄來。

我笑著將孫悟空提起，然後拋上半空中，忽然，有一柄怪劍，貫穿他的胸口，將他懸掛在半空之中！

「請……請放過我吧！」孫悟空痛苦萬分地叫喊出來。

「第十五層地獄，『五百億劍林』，並不是凡人能夠見識得到，你可要好好享受！」

我笑罷，打了一個響指，那無盡的劍林忽然同時拔地而起，悉數朝孫悟空射去！

「啊！」被無數血劍貫穿的孫悟空淒然慘叫。

血紅的劍林在半空中穿插了孫悟空一遍後，忽然急轉，竟又變成一紅光閃爍的劍龍捲風，將他困在其中，不停切割！

劍龍捲風雖會將孫悟空斬得支離破碎，血肉模糊，可是不論他被切割得如何細小，每一寸肉的痛苦，他依然能清楚地感受得到。

在這幻覺中，死亡並不存在。

每當他的身體被切割得不能再細小時，他便會立時回復完整之軀。

然後，從頭再受劍林攪碎之苦一遍！

血劍鏗鏘交擊聲此起彼落，但完全掩蓋不了孫悟空的淒厲叫聲。

聽得孫悟空慘叫不絕，我只感心下大樂，可是施展了「地獄」這絕招後，「鏡花之瞳」便因虛耗過度，強制進入沉睡狀態，我只好靜靜運功，讓魔氣重新在魔瞳中積聚起來。

「地獄」，其實是「鏡花之瞳」最厲害的殺著。

受術者被我入侵思想領域後，便會依照我的意思，產生進入不同層數地獄的幻覺。

從第一層地獄「拔舌」開始，每一層地獄都比前一層痛苦恐怖十倍。

「地獄」裡沒有死亡，只有無窮無盡的痛。若果沒我同意，進入了「地獄」的人，永遠都不能脫離幻覺。

永遠不能。

佛經中所記載的地獄，其實就是古時那些曾被「鏡花之瞳」入侵思想領域，嘗試過「地獄」這招後仍能保持神智清醒的人所流傳下來。

目的，就是要警告他人，「鏡花之瞳」能有多厲害。

可是，「地獄」所耗力量龐大，每層都因應其殘酷程度消耗同等魔氣，所以之前的「鏡花之瞳」持有者，從來不輕易使出這絕招。

久而久之，人們便以為那不過是神話傳說。

這次讓孫悟空墜進第十五層地獄，「五百億劍林」，一來是惱他先前久纏，二來是因為就算我將他脊骨拔掉，他只要運功片刻，身體就能回復過來，到那時又會再來纏擾。

我不忍殺了他，因為他好歹也是魔界七君之一，所以我最後決定，讓他進去「五百億劍林」受點折磨。

不過，能施展「地獄」的人，普天之下，其實只有一個，所以孫悟空得悉我能施展「地獄」後，便變得如此驚慌。

我默默運功，過了一會兒，魔氣終於再次凝聚了一點。

孫悟空的淒厲叫聲在廣場中徘徊不絕，周邊的撒旦教眾看到他恐怖的瘋狀，皆嚇得噤若寒蟬，全都站得老遠，不敢對我稍為接近。

此時，只聽得煙兒在我頭頂上問道：「大哥哥，你究竟對孫悟空幹了甚麼？」

「沒甚麼。」我抬頭朝她笑道：「我剛才只是將他送進『地獄』去了。」

「地獄？是幻覺嗎？」煙兒瞪著大眼睛問道。

「對，正是幻覺。」我點頭笑道：「不過，這幻覺可比真實恐怖百倍，因為進了去的人，都得承受現實中沒可能嘗試到的痛苦。」

煙兒吐吐舌頭，道：「真是恐怖，大哥哥你千萬不要送煙兒進去。」

「嘿，如果你以後聽話，我當然不忍心如此待你。」

「嘻，這樣有點困難，不過煙兒相信大哥哥不會捨得讓煙兒待在那種鬼地方。」

我聞言微笑不語，閉上雙目，再次運功起來。

「大哥哥，剛才聽到那猴子說你有另一身分，」煙兒頓了頓，問道：「那麼你另一身分，到底是誰？」

「這個嘛，你多待片刻，讓大哥哥回復後才跟你說吧。」我閉目應道。煙兒「嗯」了一聲，便不再說話，只坐在我身旁守候。

如此又運功了片刻，我的身體已經回復七成狀態。

從剛才施展「地獄」開始，我已一直留神，提防廣場中躲藏著其他魔鬼。

但直到現在，依舊沒人向我偷襲，看來這次聚會中，就只有孫悟空一名魔鬼，在場監視。

我睜開眼睛，見到他已累得不能再叫喊出聲，只能伏在地上顫動，於是便打了個響指，將幻覺解除。

脫離了「五百億劍林」後，孫悟空如獲新生，吐了一口濁氣，便即含笑昏迷過去。

我走進廣場正中，拍拍身上灰塵後，便朗聲以英文向撒旦教眾問道：「你們當中，有誰會英文嗎？」

我連喊數聲，還是沒人有反應，於是我大聲喝道：「沒有的話，我就只好大開殺戒，把你們盡數殺掉！」這句話果然有用，立時引起一場小騷動。

過不多時，忽然有人被推了出來，只見是一名身體瘦削的白人青年。

那青年甚是惶恐，轉身想走回人群中，卻又被其他人推開。

我見狀朝他招手笑道：「過來，我沒有惡意的。」那青年這才戰戰兢兢的朝我走來。

「你叫甚麼名字？」我朝他笑道。

那青年誠惶誠恐的回答道：「我……我叫米高。」

「嗯，米高，今天你們撒旦教為甚麼會在這兒聚集？」我親切地笑問。

米高顫聲道：「今天……是我們半年一度的晉升集會。我們齊集在此，就是等待教主宣佈……宣佈各兄弟姊妹的新職位。」

「你們教主在這兒？」我若無其事的問道，暗地戒心大起。

「不，教主臨時有要事，所以……所以另派了聖使來主持集會。」米高說道。他口中的聖使，想來就是孫悟空。

「那你們這些人中，有誰見過你們教主？」我問道。

卻見他搖頭答道：「大多沒有，教主的聖面不是一般閒人所能得見。一般而言，唯有像今天的特別日子，我們這些職位較低的，才能有機會一睹教主的風采。」米高說罷，臉現失望之色，顯然因為見不到教主而沮喪。

我拍拍他的肩，笑道：「不要失望，你們今天很幸運，能夠見到真正的撒旦．路斯化。」

米高聞言大驚失色，道：「你……你怎能隨便說出教主的名字！」

我仰天大笑，米高見狀憤怒地問道：「你在笑甚麼？」

「我在笑你們，千百年來一直在崇拜偽撒旦。」我冷冷笑道。

「你……你又說了！」米高急得面紅耳赤。

「為甚麼我不能說？」我瞇眼看著他，笑問：「如果天下只有一人能直言不諱地道出你們教主名字，那人會是誰？」

米高沒有多想，只堅決的道：「不會有這樣的人！如果教主不批准，沒人能說！」

我搖頭笑道：「好吧，就算是你教主不批准，但如果你親耳聽到他的名字，那又是怎麼一回事？」

「這情況就只能是教主自己親口說出！」米高答道。

「現在，就是這個情況。」我笑道。

米高聽後大惑不解，默默想了一想，忽然臉色如灰，渾身顫動的跪了下去。

「教……教主開恩！教主開恩！」米高戰戰兢兢的求饒。

「我並非你們教主，」我頓了一頓，微笑道：「不過，我乃是真正的『地獄』之皇，撒旦．路斯化！」

我提高聲線，響亮地將我的真正身分向全場眾人說出來！

其實早在四年前，師父帶我離開香港時，我已被告知自己乃撒旦的轉世。當初師父說，我是唯一一個有可能改變天上唯一的魔鬼，是因為我的前身撒旦，乃從創世至今第一個反抗祂的人。

不過，那時我成魔不久，實力太弱，如在魔界中公開身分，勢必引起薩麥爾一方的追殺，所以一直以來，知道這秘密的人，只有我跟拉哈伯、以及死去的師父。

眼下末日迫在眉睫，拉哈伯又認為我已能自保，才贊成我將身分公諸於世。

場內眾人震驚萬分，此時卻有一人大聲喊道：「不，我不相信你是教主，若果你真是他，剛才怎麼會跟聖使交手？」

我哈哈大笑，轉頭向米高問道：「你們可知你們教主模樣？」

米高呆看著我，喃喃的道：「根據我們的典籍記載，我主聖容異於常人，頭頂長有二隻巨角，胸前有血染的神聖印記，而且身體能承受任何的光……」

我揮手打斷他的話，笑道：「這就夠了。」米高聞言一驚，復又俯身朝我下跪。

這時，我一手扯下破爛的上衣，露出精壯結實的上身。

我毅然環視廣場一遍後，忽然拾起一塊尖石，在左掌掌心割出一道深刻的傷口，然後高舉左手。

場內眾人注視我的舉動，本來都大惑不解，卻慢慢變得目瞪口呆，驚訝萬分。

但見殷紅鮮血從我掌心傷口如泉湧出，順著手臂筆直流下，在流到我胸脯時，忽然詭異地分裂成十數道血流。

血流沿著無形的軌道，亂中有序地在胸上四處流竄，很快便遍佈了我整個上身。

最後，鮮血在我赤裸的上身，交織成一個赤紅妖異、令人望之生畏的圖騰。

這不是「鏡花之瞳」製造的幻覺，而是真真正正的撒旦標記。

代表「獸」的標記。

廣場上或許知者甚少，但卻聽得一名教眾虔誠地唸道：「『凡是聰明的人，都能夠算出獸的數字，因為這數字代表一個人……』」

「『……這數字是，六百六十六。』。」煙兒坐在樑上，輕聲說道，「天啊，這是……古希伯來字……六六六！」

忽然之間，在場所有撒旦教眾，皆神色惶恐的向我跪拜！

「大哥哥，你真的是撒旦？」煙兒呆了一呆，一臉難以置信地問道。

「撒旦．路斯化，」我點點頭，朝她笑道：「就是我的真正身分！」

待續

魔瞳

卷一至卷七

一次換眼，讓我變成魔鬼
邦亨 作品
魔瞳
1
The Devil's Eye
香港魔幻
重版出來
香港人的都市魔幻大長篇小說《魔瞳》
一次換眼，讓我變成魔鬼
香港有700幾萬人，有無諗過身邊的人
可能就係魔鬼？

一次換眼，讓我變成魔鬼
邦亨 作品
魔瞳
3
The Devil's Eye
異色之瞳
破繭而出
紙言小說排行榜長據 TOP 4
百萬字系列第三部出版
好評作品
魔幻大長篇小說・不一樣的香港
遇神殺神，見魔滅魔

一次換眼，讓我變成魔鬼
邦亨 作品
魔瞳
2
The Devil's Eye
精煉十載
破繭而出
香港人嘅都市魔幻大長篇小說《魔瞳》
一次換眼，讓我變成魔鬼
香港有740幾萬人，有無諗過身邊的人
可能就係魔鬼？

經已出版

各大書局均有代售

一次換眼，讓我變成魔鬼
魔瞳
邦拿 作品
5
The Devil's Eye
香港紙言 & PENANA小說平台大熱作品
生死抉擇・鏡花水月・萬年孤寂・七情六慾・以下剋上
埋藏 二千年的陰謀 即將揭穿

一次換眼，讓我變成魔鬼
魔瞳
邦拿 作品
4
The Devil's Eye
夜之魔女 席捲全城
紙言小說平台TOP 6作者
百萬字魔幻系列第四部
好評作品
香港原創・
背叛與毀滅｜生存與命運

一次換眼，讓我變成魔鬼
魔瞳
邦拿 作品
7
神聖殲魔聯盟 vs 撒旦教
天國使者 重現人間

一次換眼，讓我變成魔鬼
魔瞳
邦拿 作品
6
The Devil's Eye
香港紙言 & PENANA小說平台大熱作品
【新世紀獵巫行動】啟動
天堂無極樂，地獄非絕境
上天下地，不過一念之差

魔瞳

The Devil's Eye I

作　　者　邦拿　　　　責任編輯　賜民
出版經理　Venus　　　　設　　計　joe@purebookdesign

出　　版　夢繪文創 dreamakers
網　　站　https://dreamakers.hk
電　　郵　hello@dreamakers.hk
facebook & instagram　@dreamakers.hk

香港發行　春華發行代理有限公司
香港九龍觀塘海濱道 171 號申新證券大廈 8 樓
電話　2775-0388　　傳真　2690-3898
電郵　admin@springsino.com.hk

台灣發行　永盈出版行銷有限公司
台灣 231 新北市新店區中正路 499 號 4 樓
電話　(02)2218-0701　　傳真　(02)2218-0704
電郵　rphsale@gmail.com

承　　印　美雅印刷製本有限公司
原　　版　2018 年 7 月
修訂版 香港初版一刷　　2023 年 7 月
ISBN: 978-988-76303-0-2
Published and Printed in Hong Kong
本故事純屬虛構，如有雷同，實屬巧合

定價 | HK$108 / TW$540
上架建議 | 魔幻小說

夢繪文創
dreamakers